从零学音乐入门丛书

CONG LING XUE YIN YUE RU MEN CONG SHU

从零起步学小提琴

CONG LING QI BU XUE XIAO TI QIN

轻松入门

李本华 编著

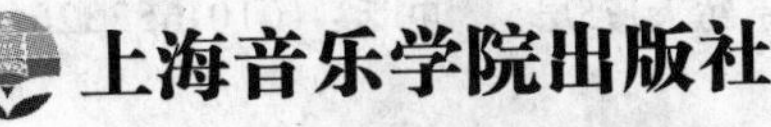

上海音乐学院出版社

图书在版编目（CIP）数据

从零起步学小提琴 / 李本华编著. —上海：上海音乐学院出版社，2009.4
ISBN 978-7-80692-428-0

Ⅰ.从… Ⅱ.李… Ⅲ.小提琴—奏法 Ⅳ.J 622.16

中国版本图书馆CIP数据核字（2009）第053594号

书　　名：从零起步学小提琴
作　　者：李本华
责任编辑：陈　欣
封面设计：孙春祺
出版发行：上海市音乐学院出版社
地　　址：上海市汾阳路20号
印　　刷：北京柯蓝博泰印务有限公司
开　　本：850×1168　1/16
印　　张：12.25
字　　数：谱文186面
版　　次：2009年5月第1版　2012年1月第5次印刷
书　　号：ISBN 978-7-80692-428-0/J.415
定　　价：32.80元（含DVD）

前　言

小提琴是一种在构造上与声音上十分完美的弦乐器。它音色优美、音域宽广，富有很强的表现力。它既可以独奏、又可以重奏、伴奏，是管弦乐队中的基础乐器。它轻巧便于携带，儿童小提琴价格也较便宜，所以受到越来越多的孩子和家长的喜爱。通过学习小提琴，孩子们受到音乐美的熏陶与教育，丰富他们的情感、激发他们对美好事物、对人生与社会的热爱。经过双手、大脑乃至全身的协调训练，使他们的理解力、记忆力、反应能力以及学习注意力都会比其他同龄儿童优秀很多。这对他们将来不论是专门从事小提琴演奏,还是从事其他职业都是非常有好处的，“童年学琴，终生受益”。

我有幸曾于 1992 年－1995 年在日本随世界著名小提琴教育家铃木镇一博士学习。对他所倡导创立的“铃木教育法”有了较为全面的了解。铃木先生的“不以培养小提琴家为目的”“任何人都可以学习小提琴”的教育思想及教学方式，打破了多年来曾留在人们头脑中“小提琴很难学”一般人不敢涉及的神话。在铃木先生教育理念的推动下，全世界不知增加了多少学习小提琴的孩子们。当然，这些众多的孩子们中，将来从事职业演奏的不过百分之几，他们中的绝大部分只是业余拉琴。对于这样的孩子如何教育？能否编写一本适合他们在较短的时间内既可以学到较为全面、系统、正规的演奏知识，又能让他们不感到枯燥，在轻松愉快的练习过程中体会到音乐美的愉悦与熏陶，这是我近来一直思考的问题，也是我编写此教材的初衷。

这是一本主要为小提琴爱好者编写的教程。是在我原已出版的《小提琴入门》一书的基础上，经过自己几年的使用并吸收了一些同行的意见后，对原书进行充实修改后编写而成。在编写过程中遵循了这样一些原则：一是基础性。从“零”开始，循序渐进。入门采用左手 2、3 指为半音音程的调性，手形较为自然，容易掌握。二是可听性。大量采用好听、 熟悉的乐曲做为教材。所选全部曲目中，练习曲只占 1/3，乐曲则占 2/3。三是实用性，除了乐谱外还简单讲解了乐理知识，并有针对性地介绍了一些学习过程中需要了解的相关知识。为了克服小提琴学习过程中音准这一难题，让学生在较长的时间内保持左手相对不变的手指排列关系是非常必要的。为此，我在曲目编排上把相同调性的乐曲编在一起。实践证明，这是一种很好的学习方法。本教程可以单独使用，通过练习基本可以达到考级所要求的四、五级的程度。它又可以配合其他教材使用，特别是针对目前很多教师和学生用考级教程当做练习教材，曲目过于复杂、技术水平跳动大的问题，如把本教材与考级教材结合使用，会收到很好的效果。为了更好地辅导学生学琴，本教程还录制了教学 DVD 一张，我重点地介绍了本书各单元的要领和相关的学琴知识，希望能对使用者有所帮助。对于本教程中的不足之处，还望各位同行及使用本教程的学生和家长不吝赐教，以便将来能够加以修正。

需要说明的是，因为本教程是选自多本教材的精华编写而成，所以首先要感谢那些原作者们。其中有的乐曲因原教材中没有署名，故在选用时也无法署名。此外的大部分曲目我根据自己的理解和习惯重新编订了弓指法。

最后，我要感谢我的启蒙老师——我的父亲，他是一位热心的小提琴爱好者。虽然他今年已 80 岁高龄，但仍经常拉琴和参加演出。我还要感谢在我学习的各个阶段给予我指导的王永和、冀瑞铨、严泰公、王鹏、涂振南诸位老师。我特别要感谢已故的铃木镇一先生。他作为我在日本学习的担保人，不光教我拉琴，在各方面给予了我特殊的关照，他的恩情我永世不忘。

李本华

2009 年 3 月于唐山

作 者 简 介

李本华，男，1954年出生。唐山市歌舞剧团副团长、国家一级小提琴演奏员。6岁从父学习小提琴，15岁入唐山市歌舞剧团至今。先后任演奏员、独奏演员、乐队首席。1973—1974年在中央广播乐团进修。1986—1988年在天津音乐学院管弦系学习。1992—1995年赴日本，在世界著名小提琴教育家铃木镇一博士的小提琴研究生班学习，毕业获铃木先生签发的"小提琴指导者认定"证书。

1985年创办唐山市第一所课余小提琴学校，介绍其教学情况的电视专题片《琴弦上的梦》在中央电视台播放。撰写的十余篇论文及研究报告，在国家和省级刊物上发表。

编著出版《小提琴入门基本教程》、《小提琴中外名曲168首》两本教材。录制了《小提琴演奏入门》、《小提琴考级辅导》两套DVD教学光盘在全国发行。

现为：国际铃木协会会员；

中国音乐家协会会员；

中国音协小提琴学会理事；

全国少儿小提琴教育学会理事；

河北省音乐家协会常务理事；

河北省小提琴艺术委员会副主任；

唐山市音乐家协会副主席；

唐山市小提琴艺术委员会主任。

（铃木先生在给作者授课）

（作者和铃木先生合影）

目　录

第一单元　小提琴的起源与构造

一、小提琴的起源

小提琴的历史悠久。传说在距今两千年前的埃及，有一位名叫莫可里的人。一天，他在尼罗河边散步，偶然中踢到一个乌龟壳，他捡起来一敲，发出好听的声音。于是他依照乌龟壳的形状做了一把小提琴。

关于小提琴的起源，较为正式的说法有两种。

一种说法是小提琴源自古提琴。古提琴在早期的意大利器乐演奏中占有主要位置，很多协奏曲和奏鸣曲都是专为古提琴而写的。十六世纪的意大利作曲家以及后来的巴赫和亨德尔都曾写过古提琴曲。只是到了海顿时期，小提琴才代替了古提琴。由此，一些学者得出结论：现代小提琴是古提琴发展而来的。意大利文小提琴一词，本来就源于古提琴。

另一种说法认为，小提琴是由斯拉夫民间乐器吉格（Geige）琴发展而来。因为吉格琴也有四根弦，按五度关系定音。吉格琴颈是狭长的。指板没有格子（品），琴马也呈上弧形。这些特征都与小提琴一样。最早的一把琴是由德意志人阿格利科拉（1486－1556）制成。他称这把琴为波兰吉格琴。

意大利是小提琴的故乡。位于意大利的克雷莫纳和布来斯加是全欧小提琴制作的摇篮。十六世纪这里能工巧匠辈出，著名的三大制琴世家为:阿玛蒂、瓜奈利、斯特拉第瓦利。其中斯特拉第瓦利又最负盛名，他制作的琴价值最高。据说他一生中制作了上千把提琴，其中大部分至今仍被人们珍藏和使用。

二、小提琴的构造

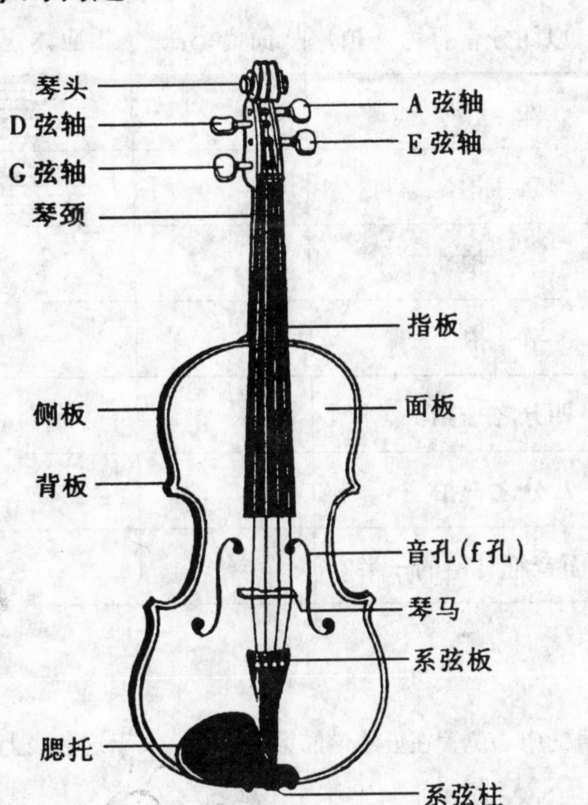

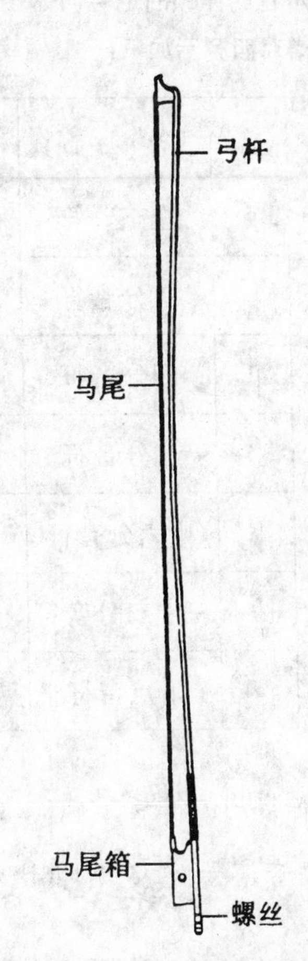

第二单元　简要乐理知识

一、五线谱知识

五线谱是用五条平行的横线来记音符。五条线的“线”上和两线之间的“间”上都用来表示音的高低。

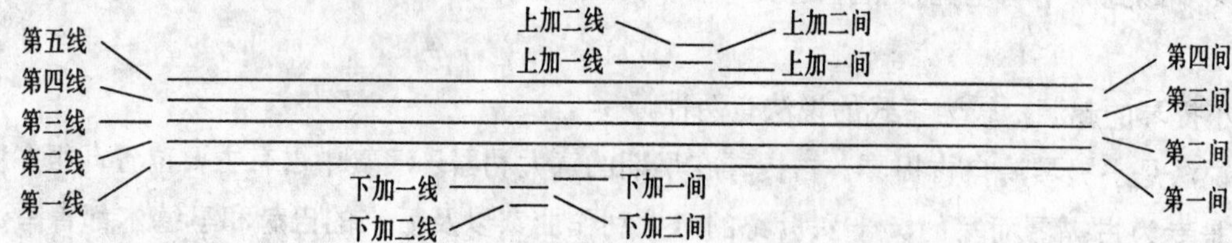

请记住这样两句话：*音符的位置表示音的高低；音符的形状表示音的长短。*

音符由三个部分组成：　符头←　→符头　→符尾

两个以上的音符以节拍的单位组织起来时，可以用横杠代替符尾。

如：

表示音的停顿的记号叫休止符。有什么时值的音符就有什么时值的休止符。现将常用音符、休止符与简谱对照列示如下：

	名　　称	时值（以四分音符为一拍）	简谱记法	相应休止符
	全 音 符	四　拍	5 – – –	
	二分音符	二　拍	5 –	
	四分音符	一　拍	5	
	八分音符	半　拍	$\underline{5}$	
	十六分音符	四分之一拍	$\underline{\underline{5}}$	
	三十二分音符	八分之一拍	$\underline{\underline{\underline{5}}}$	
•	附点音符	是前面音符时值的一半		

几种常用的符号

1.高音谱号：　也叫G谱号，谱号的中心位置在五线谱的第二线上，表示这条线上的音符的音高是g1。

2. 拍号：表示拍子的记号叫做拍号，写在高音谱号的右边。

拍号上边的数字表示一小节内有几拍，下边的数字表示几分音符为一拍。

现将几种常用拍号列示如下：

名称	名　称	拍　号	意　义
二拍子	二二拍子	$\frac{2}{2}$ 或 $\mathbf{¢}$	以二分音符为一拍 每小节两拍
	四二拍子	$\frac{2}{4}$	以四分音符为一拍 每小节两拍
四拍子	四四拍子	$\frac{4}{4}$ 或 $\mathbf{C}$	以四分音符为一拍 每小节四拍
三拍子	四三拍子	$\frac{3}{4}$	以四分音符为一拍 每小节三拍
	八三拍子	$\frac{3}{8}$	以八分音符为一拍 每小节三拍
六拍子	八六拍子	$\frac{6}{8}$	以八分音符为一拍 每小节六拍

3. 变化音记号

♯为升　号，表示比原来音升高半音。

𝄪为重升号，表示比原来音升高两个半音，即升高一个全音。

♭为降　号，表示比原来音降低半音。

𝄫为重降号，表示比原来音降低两个半音，即降低一个全音。

♮为还原号，表示前面升高或降低的音还原到原来的音。

变化音记号写在音符的左边，为临时变化音记号，仅在此小节起作用，过小节失效。写在谱号右边的变化音记号是调号，它在整首曲谱中起作用。

4. 小节、小节线、终止线

小提琴的四根空弦的音在五线谱上的位置.

小提琴的第一把位上的音符。(不包括升降变化音)

C大调音阶及全音、半音关系，（⌒弧线为全音，∧角线为半音）

二、常用演奏符号及音乐术语

1.小提琴的弓指法符号

⊓ 下弓，弓向下走。

V 上弓，弓向上走。

⌒ 连线，连线内的音符用一弓演奏。

0 空弦，用空弦演奏。

1 1 指，按食指演奏。

2 2 指，按中指演奏。

3 3 指，按无名指演奏。

4 4 指，按小指演奏。

1— 保留手指，这里是保留1指。

2.常用力度符号

pp	很弱	>	重音记号
p	弱	***fz*** 或 ***sf***	加强音
mp	较弱	<	渐强
mf	较强	>	渐弱
f	强	*cresc.*	渐强
ff	很强	*dim.*	渐弱

3.常用演奏符号

𝄐	延长记号	G.B.	全弓
◇或 ○	泛音记号	O.H.	上半弓
pizz.	拨奏	U.H.	下半弓
arco	用弓拉奏(在拨奏之后)	M.	中弓
solo	独奏	Fr	弓根
tutti	全奏(全乐队)	Sp	弓尖
8va	奏高八度		

4.常用速度与表情术语

rit	渐慢	**dolce**	歌唱地
a tempo	回原速	**espress**	有表情地
presto	急板　急速地	**mosso**	生动地
Allegro	快板　愉快地	**calmato**	安静地
Allegretto	小快板　较快板稍慢	**poco**	少许、一点
Moderato	中板　中速	**Più**	更
Andante	行板　行走速度	**meno**	少些
Adagio	慢板　柔板	**segue**	继续如前
Largo	广板　最缓板		

5.小提琴常用调性记号

上面的大写字母表示大调，下面的小写字母表示小调。

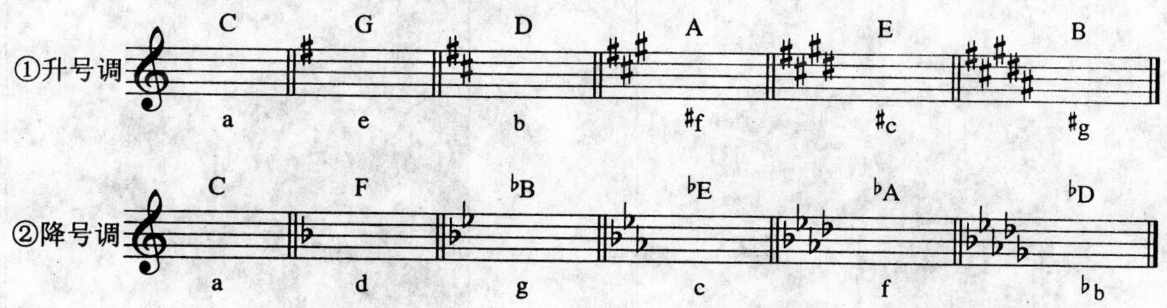

第三单元　演奏姿式

一、身体姿式

初学者要站着练习为主：身体自然站直，双脚略向两旁分开，约等于肩宽。全身的重量平均放在两脚上，偶尔也可有所偏重。要挺胸、头正，眼睛看着琴头方向，保持自然放松的姿态。疲劳时也可坐在椅子上练习，但不要让后背靠着椅子，只可坐椅子的一半左右，注意不要妨碍右臂运弓。

二、持琴姿式

把琴放在左面锁骨上，用左下颌贴住腮托，将琴夹住，这是琴的主要支持点。注意不要让头歪向左侧，也不要耸肩。琴头向左偏转约45度角，琴头要平，琴面向右侧稍倾斜。

持琴的另一个支持点是左手的大拇指与食指根。初学拉空弦时，用左手掌托住琴身即可。

持琴要做到四个“不”：不要太高，不要太低，不要太侧（往左），不要太正（面对身体）。

使用肩垫对夹琴的牢固是有作用的，但肩垫的薄厚要因人的脖子长短而定。

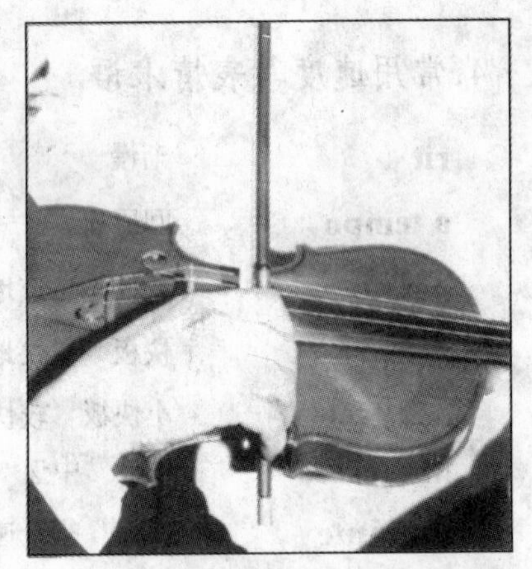

图一：演奏弓根时的姿式

图二：演奏中弓时的姿式

图三：演奏弓尖时的姿式

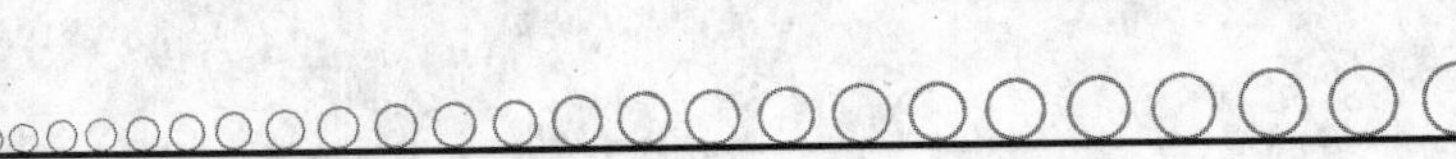

三、持弓姿式

持弓的姿式实际上与右手臂自然下垂时手的状态是基本相似的。五个手指的具体要求如下：

1. 大拇指自然弯曲，指尖顶在弓杆的八个平面的左下方的平面上。

2. 中指的指尖关节（第一关节）和中间关节（第二关节）的弯曲处与拇指尖相对，放在弓杆上，它与弯曲的拇指形成一个环状。

3. 无名指自然放在弓杆上，基本同中指并列。

4. 小指也要自然弯曲，指尖站立在弓杆上面。

5. 食指的第二关节的靠近指根关节（第三关节）的位置放在弓杆上。

除拇指外的四个手指不要并在一起，要互相略有分开，中指与无名指可略近些，其他手指可稍远些。正确的持弓应当自然放松，各手指的关节在运弓时要有伸缩变化，靠近弓根要弯曲些，靠近弓尖要伸长些。常见问题一是拇指关节僵直，指关节从弓子中间钻出，二是其他手指的指根关节鼓起，像山峰一样，其他关节僵直，像鸡爪一样。这些错误在初学时一定要引起重视，认真改正。

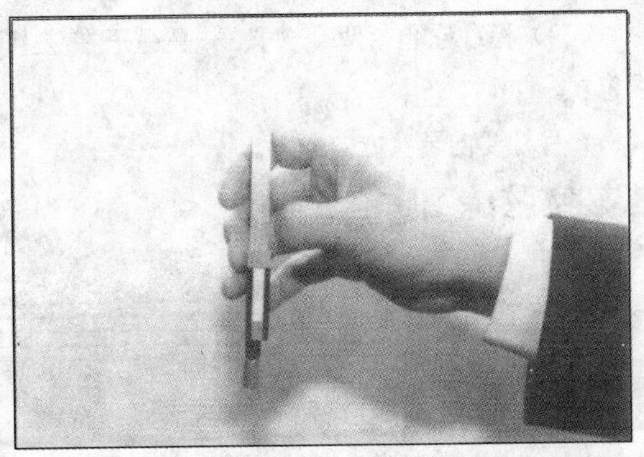

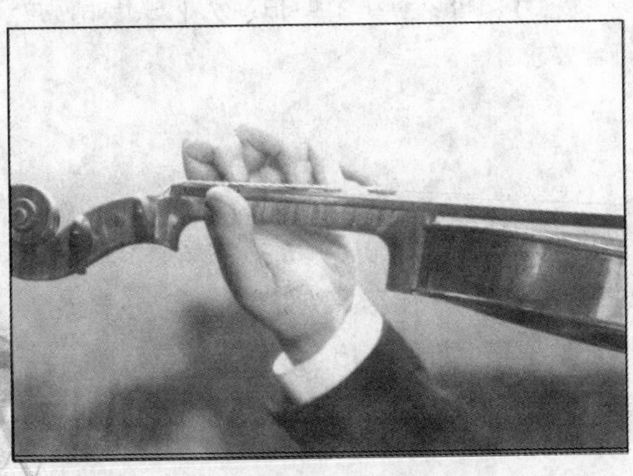

图六:持琴左侧手形

图七:持琴右侧手形

第四单元　怎样运弓及空弦练习

一、怎样运弓

弓子拉琴弦的动作叫运弓。运弓要注意以下几个要点：

1. 找好弓子与弦的接触点。弓子过分靠近指板拉出的声音暗淡、虚弱；弓子过分靠近琴马拉出的声音噪杂、刺耳。当弓子拉在指板边缘与琴马中间时，发音才最为好听。（当然，这是指初学的一般发音，等以后学习高难度乐曲时，将要根据需要来调整接触点，这要另当别论了）。

2. 不要碰其他琴弦。这是儿童初学琴时较为难办的课题。要先从中弓开始练习，弓子拉的短一些，以后再逐渐拉长。可以先练习一弦，这样相对容易些。

3. 运弓的三字决“直、平、稳”。

（1）直：就是弓子与弦成直角，与马子平行，常见问题是弓根时弓子往前斜，弓尖时弓子往后扯。这需要整个右臂的各个关节协调解决。

（2）平：右臂（大臂、肘、小臂、手腕、手）要与弦的高度保持一致，不要过高或过低。

（3）稳：它包括两个含义，一是弓子在弦上不颤抖，二是弓子速度均匀平稳，不能忽快忽慢，忽强忽弱。

4. 弓杆要向琴头方向倾斜。

二、空弦练习

初学时必须先练习空弦，这主要是先学习右手持弓和运弓的基本方法，避免左右手同时学习出现顾此失彼的现象。练习空弦时，左手可以轻轻扶在琴身上。为使儿童注意力集中在运弓上，请先不必让孩子看谱练习。

先从中弓开始练习，弓子拉的短些，要数着拍子练习，开始可以每小节四拍，从下弓开始，拉一拍停（休止）一拍。停的时候要检查持弓及运弓是否符合要求。

检查　检查

例1:

儿童习惯明确的指令，所以可以这样规定：从一弦开始，每弦拉八弓，然后按顺序练习二、三、四弦。再从四弦按顺序回到一弦，这做为一小组练习，练完后可稍加休息。练好中弓后，还要练习上半弓、下半弓、全弓。音符可由短渐长，弓速由快渐慢，拍子可由每弓一拍，逐渐增至每弓两拍、四拍，运弓也要由每弓中间停顿一下变为连续不断地演奏。

① ② ③

例2:

为孩子请一位有经验的老师是非常必要的，所以，练习中涉及到运弓的技术问题这里就不再涉及，也不再把空弦练习用乐谱的方式列出。

空弦练习在一个较长的时间内要每天坚持练习，教师和家长要把空弦练习的重要性向孩子讲清，让他们有耐心地去练。同时，现在的教学方式，也改变了过去长时间只练空弦的陈旧模式，特别是低幼儿童，尽早地让他们学习运指（按弦），尽快能演奏出曲调来，这对提高他们的学琴兴趣是非常重要的。我自己的经验是：少则一周，多则两周，就可以让孩子进入左手按弦练习。当然，每天开始的空弦练习还是要与左手按弦同步进行，必不可少的。

第五单元　怎样运指及按弦练习

一、怎样运指

左手指在琴弦上的起落动作叫运指（也叫按弦）。

开始学习运指时，可以先放下弓子，用右手从琴的右侧扶住琴身，使琴更加平稳，减少左手按弦的压力，更加专注地练习运指。

夹好琴后可以先让左臂下垂，然后保持这种放松感的手型不变抬起左臂，把手心转向自己，让琴放入虎口中间。拇指的指肚（第一关节）与食指的指根关节轻轻夹在琴脖的两侧。手指长的可以持琴深一些，手指短的可以持琴浅一些。左手腕与小臂和手保持平行，不可塌手腕或鼓手腕。

左臂在琴的下方要松驰自如。演奏一弦手臂往左些，演奏四弦手臂往右些。注意虎口不要把琴颈夹紧，手心要有一个圆形的空间。

左手指要用指尖肉垫的位置按弦，指尖第一关节不要塌，手指成半圆形，手指抬起时不能伸直，还要保持半圆形。运指要靠指根关节发力，这个关节要活动开。抬、落指的动作要有力量、有弹性，落下时迅速、落下后不要死死压在指板上。抬指动作也要灵敏、有力。

要学会运用保留指。让已经按在弦上，又暂时不必要离开的手指尽量保留在指板上，这既可以节省动作，又对音准极有好处。但有时保留指也会给演奏带来不便，如揉弦时就不可保留指，这要根据实际情况灵活运用。

左手指的四种基本排列关系

在小提琴演奏和教学中，为了便于记忆和表述，把空弦和演奏用的4个手指用教字来标记和称呼，称为“**指法**”。具体为空弦用0表示，食指为1指，中指为2指，无名指为3指，小姆指为4指。因为音乐中有全音、半音的区别，就决定了小提琴按弦时的每个手指距离的远近不同，即全音时两个手指距离远些，半音时两个手指并拢。准确的音高因每人的手指大小、粗细的不同无法从外观看出，只能通过听觉来检验。

在小提琴演奏中各手指之间的远近关系，大致有以下四种基本排列顺序我把它称之为基本手形：

第一种：1、2**指半音，其它手指全音。**　　**第二种**：2、3**指半音，其它手指全音。**

第三种：3、4**指半音，其它手指全音。**　　**第四种：各手指之间没有半音。**

除以上四种外，还有临时变化音带来的其它手指关系。由于从生理的角度讲每个人的2、3手指天生比较靠拢，所以用2、3指半音的调性来学习左手按弦比较方便。经过一段时间练习后，左手手形基本固定后再学习其它手指排列的调性的曲子。

关于初学者在指板上画上记号，有人支持，有人反对，我自己觉得此方法对低年龄的儿童尽早入门是有用处的。教师可以根据学生的年龄、听辨能力、接受能力等具体情况而定。

二、按弦练习（见12页）

第六单元　关于节奏及训练方法

学习小提琴除了姿势、技术上的问题外，音乐上最大的问题是音准与节奏，（这也是学习其他音乐门类的基本问题），关于音准，我们还可以通过眼睛观察，看出手指的位置是否大致准确，而节奏则完全靠学生头脑主观地去感觉音的长短，所以应尽早地从一开始学习空弦就要培养他们的节奏感。用空弦练习乐曲中常见的节奏型，等以后加上左手按弦演奏乐曲时，他们就已经学会打着拍子去演奏正确地节奏了。

下面介绍几种常见的节奏型训练组合。因为节奏是千变万化的，教师可以根据需要，自己编配。

注：此谱例只是供参考的节奏型，可用各条空弦练习，而不必演奏现在的音高。

练习方法：

1. 用手拍出节拍，用嘴唱出节奏型。

2. 用脚打出节拍，用嘴唱出节奏型。　　　（哒　哒　哒　哒）

3. 用脚打出节拍，用弓拉空弦节奏型。

关于用脚打拍子，人们也持两种观点，我自己还是支持要会用脚打拍子。这是学习与掌握节奏的非常有效的方法。但要向学生讲清楚，用脚打拍子只是一种学习节奏的辅助手段，等乐曲学会后就不要再打了，更不能在正式演奏场合用脚打拍子。

第七单元　三个升号的音阶、琶音、练习曲、乐曲

在一、二弦上的手指位置图：

一弦 ⓪—①—②③—④

二弦 ⓪—①—②③—④

从一弦和二弦上开始学习按弦。为了左手手形更加自然、容易掌握、先学习 2 、 3 指半音关系的A大调的音阶和乐曲。

1.按弦练习

练习提示：在休止符时按指或抬指

2.A大调音阶、琶音

3.闪烁的小星星

外国民歌

4.轻 舟 荡 漾

外国民歌

Moderato

mf

5.风 之 歌

外国民歌

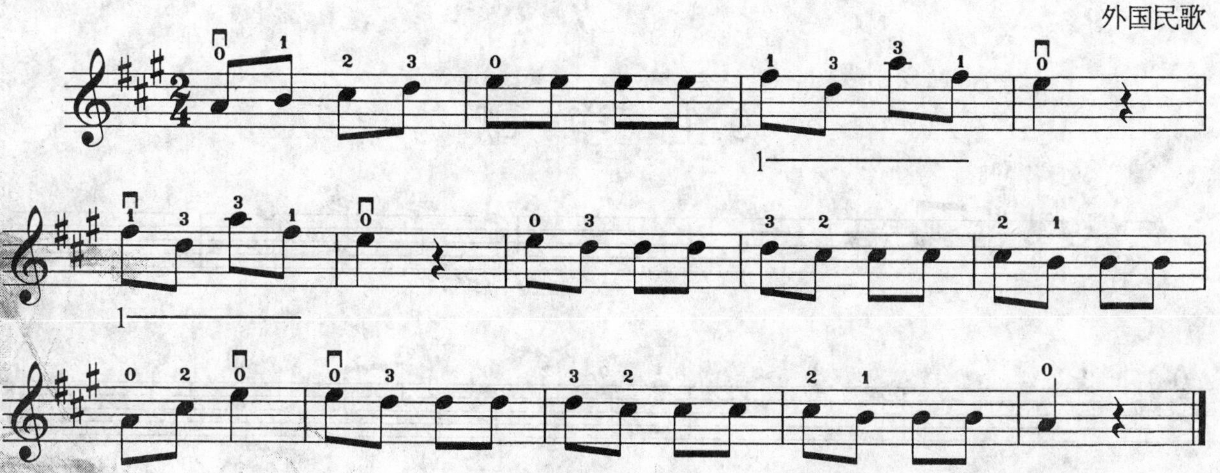

6.集 体 舞

7.两 只 老 虎

法国民歌

8.鄂伦春小唱

鄂伦春族民歌

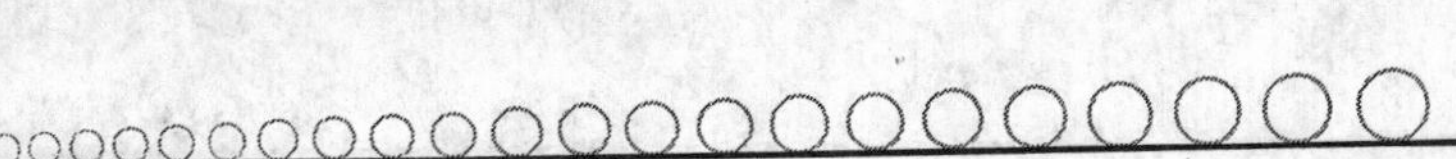

10. 一 分 钱

潘振声 曲

11. 告诉罗娣阿姨

外国民歌

12. 很久很久以前

贝 利曲

13.快　板

铃木镇一 曲

14.白玫瑰飘香的黄昏

奈吉里 曲

15.我　和　你

第29届北京奥运会主题歌

陈其钢 曲

注：此曲有在三弦上演奏音符，请教学时注意。

16.无 穷 动

在中弓用很短的弓演奏这首曲子。开始时慢练习，逐渐加速。

铃木镇一 曲

Allegro

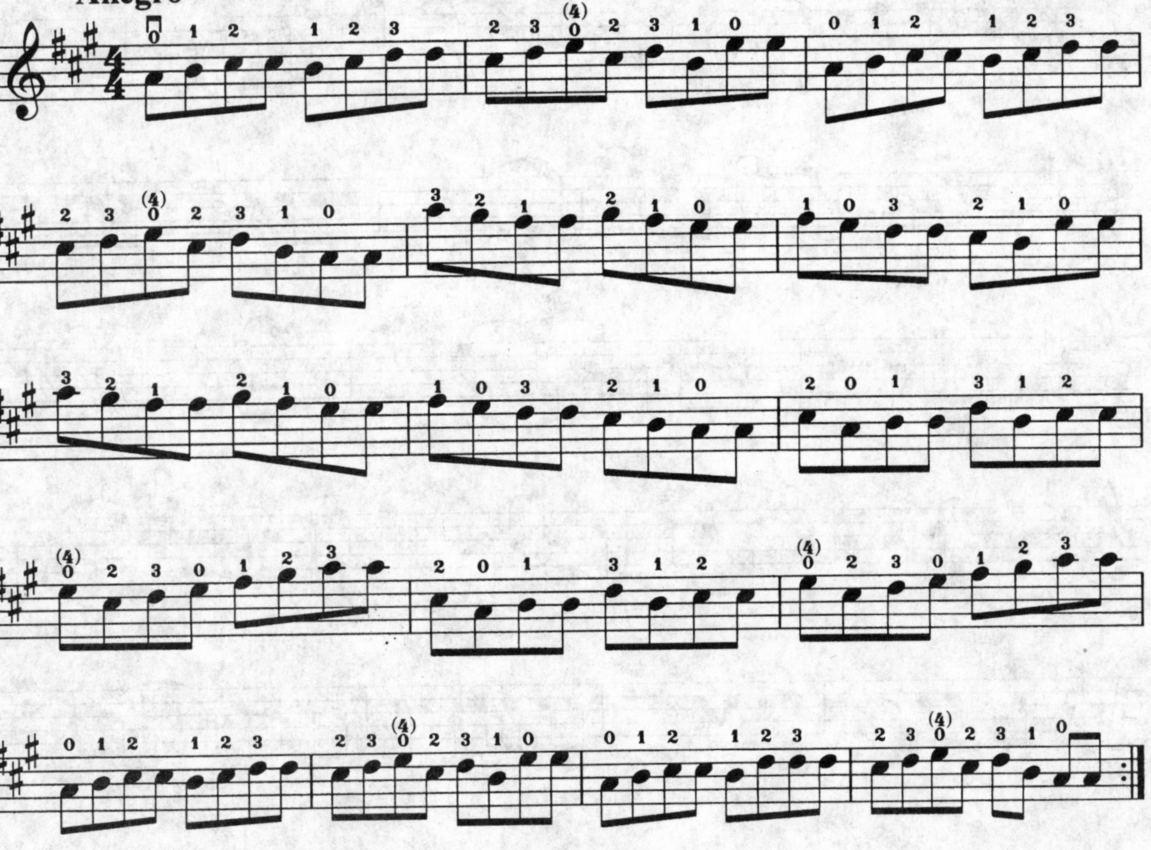

17.小 蜜 蜂

刘 昭曲

小快板

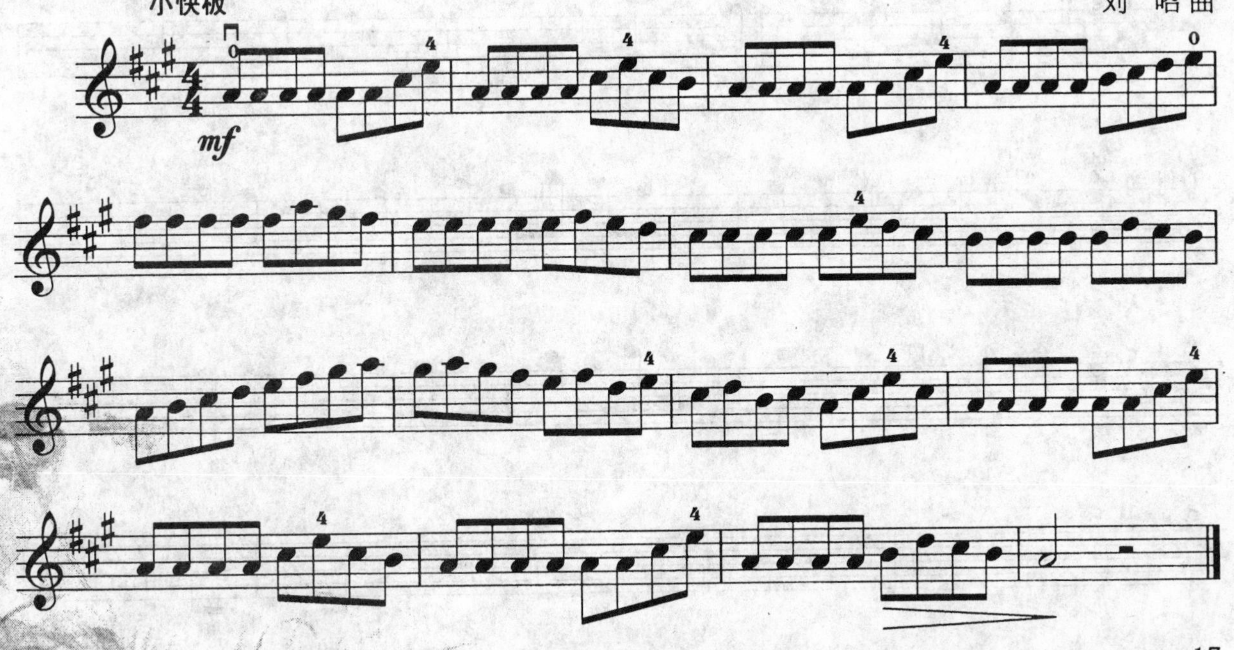

18.凤阳花鼓

♩=104

安徽民歌

19.玛依拉

注：+表示用左手拨弦。

20. 连弓练习

小快板

科玛洛夫斯基 曲

第八单元　两个升号的音阶、琶音、练习曲、乐曲

在全部四根弦上的手指位置图:

一弦 ⓪—①②—③—④
二弦 ⓪—①—②③—④
三弦 ⓪—①—②③—④
四弦 ⓪—①—②—③④

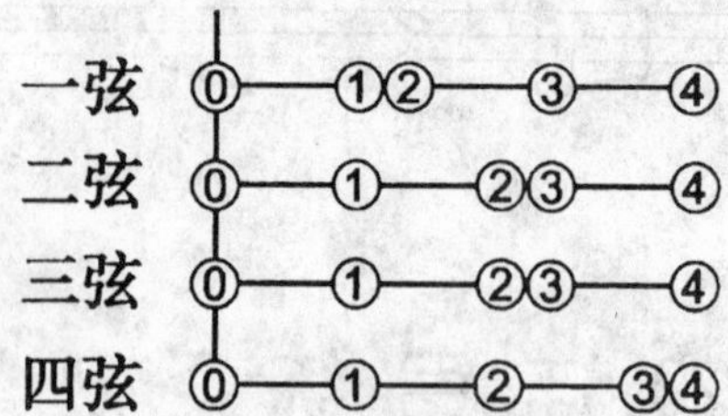

1.D大调音阶、琶音（一个八度）

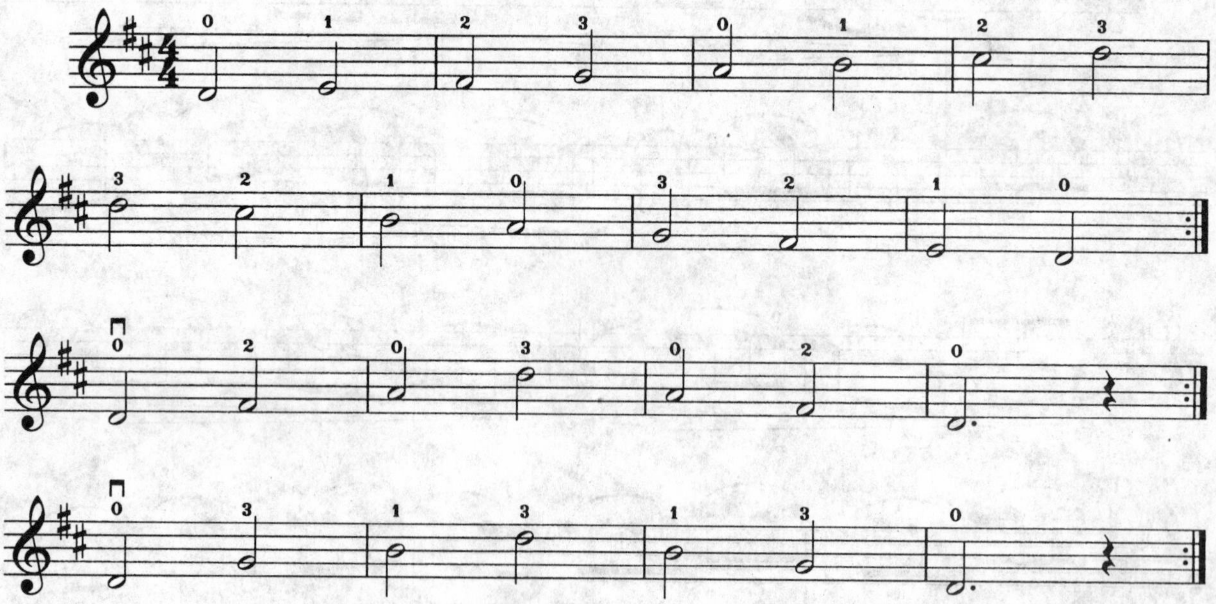

2.练　习　曲

科玛洛夫斯基 曲

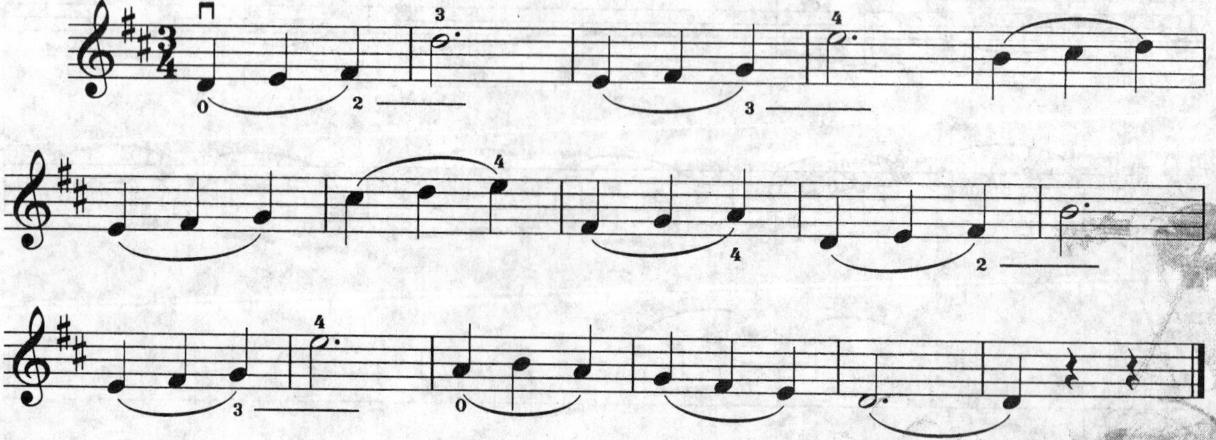

3.练　习　曲

科玛洛夫斯基 曲

快板

4.祝你生日快乐

欧洲民歌

小快板

5. 小 司 机

自豪、快乐

苏 勇曲

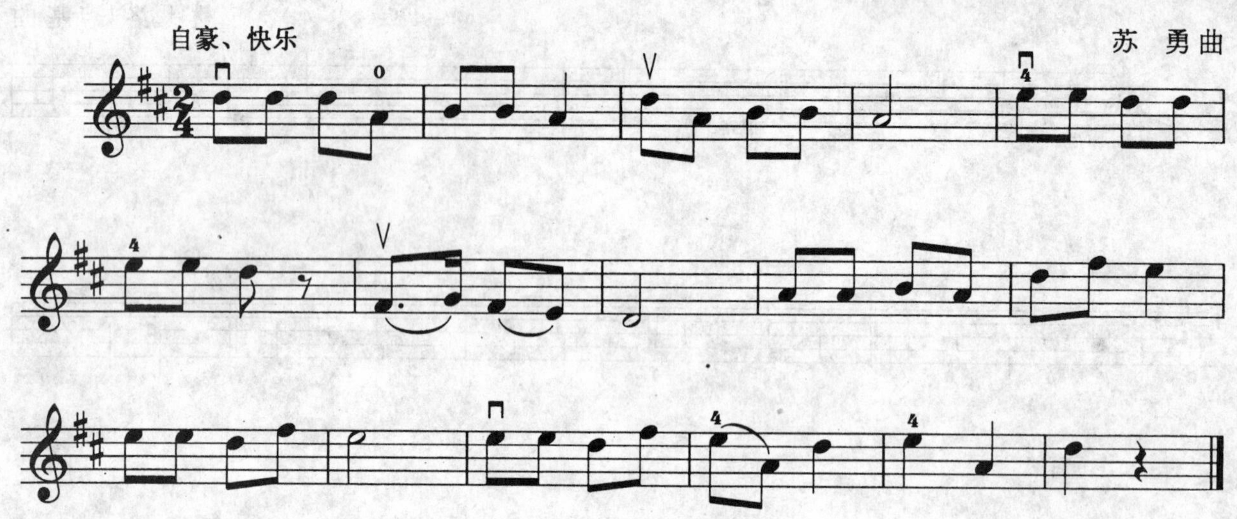

6. 迎接明媚的春光

活跃地

莫扎特 曲

7.小 行 板

8.念 故 乡

德沃夏克 曲

中速

9.雪 绒 花

中速

罗杰斯 曲

10.森吉德玛

Allegretto

蒙古民歌

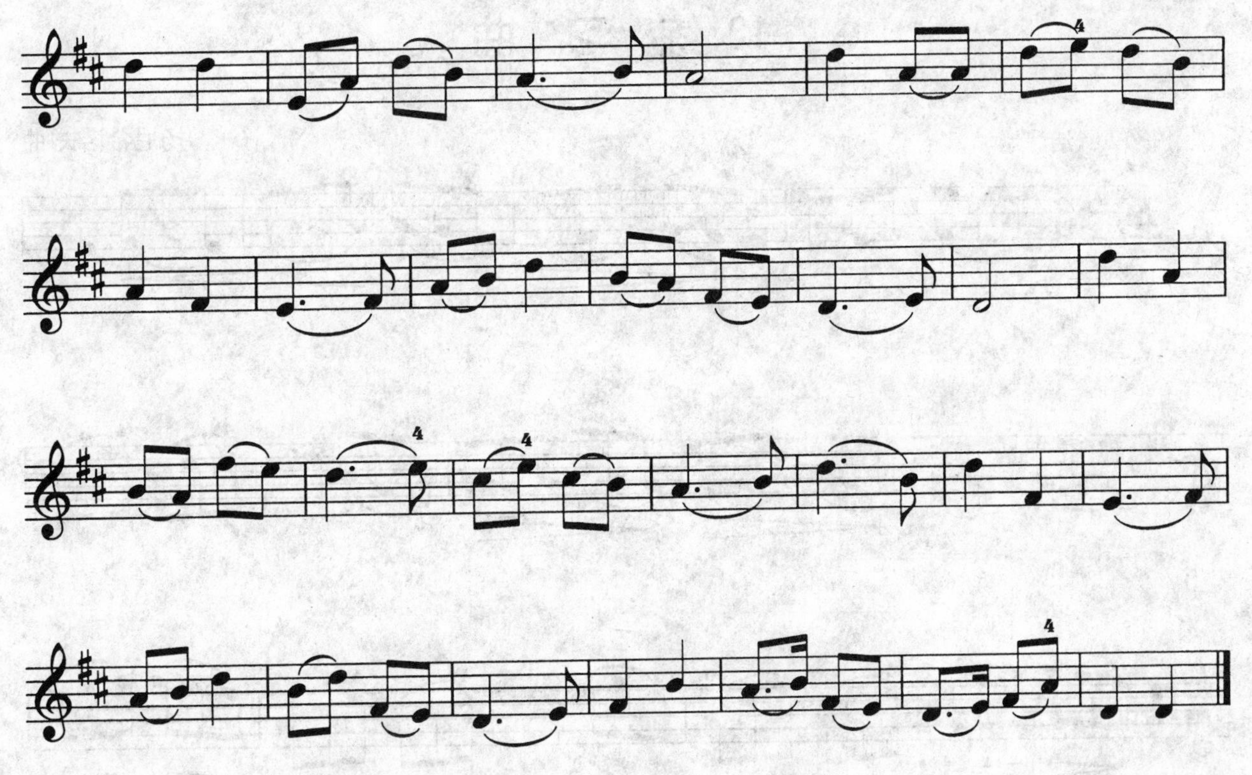

11.两个八度的D大调音阶、琶音

12. 练 习 曲

活泼地

扬尼希诺夫 曲

13. 练 习 曲

14. 让我们荡起双桨

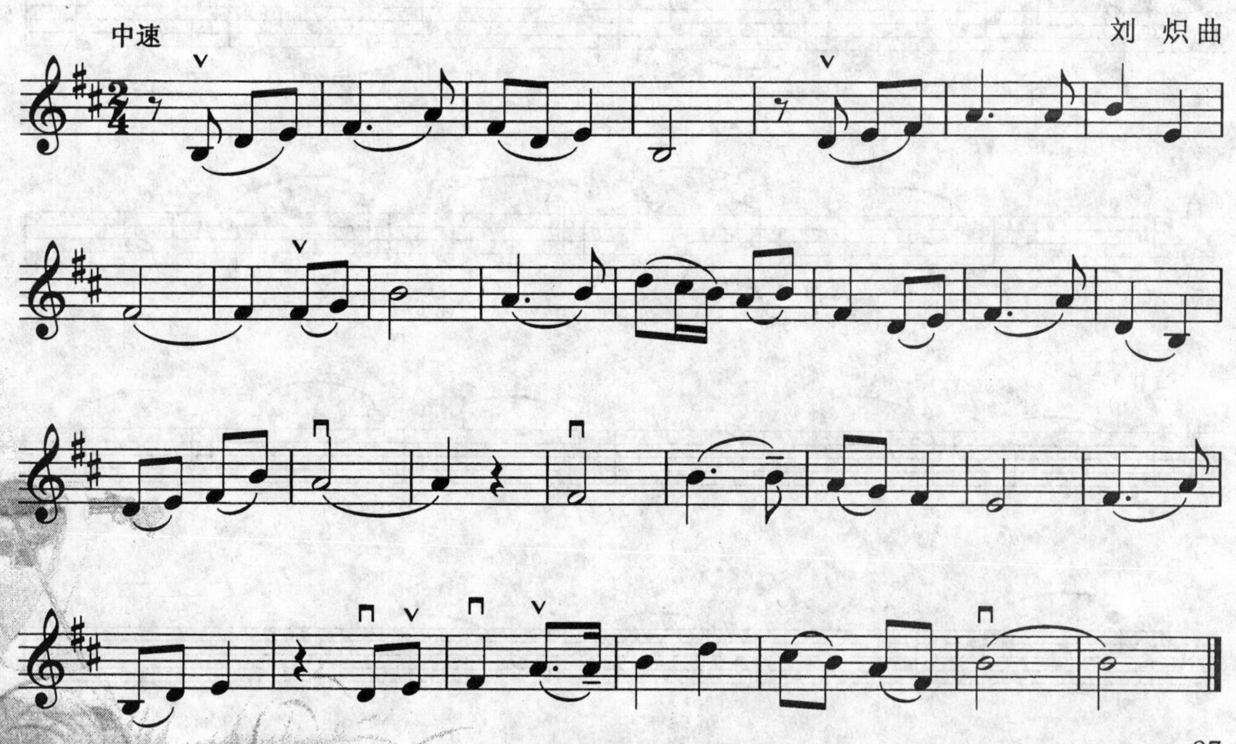

15.小 白 船

朝　鲜歌曲
李自立编曲

Andante 行板 ♩=72

16.春天年年到人间

稍慢

朝鲜歌曲

rit.

17.练 习 曲

沃尔法特 曲

全弓 上半弓 全弓 下半弓

18. 练 习 曲

科玛洛夫斯基 曲

有生气地

第九单元　一个升号的音阶、琶音、练习曲、乐曲

手指位置图

一弦	⓪—①②—③—④
二弦	⓪—①②—③—④
三弦	⓪—①—②③—④
四弦	⓪—①—②③—④

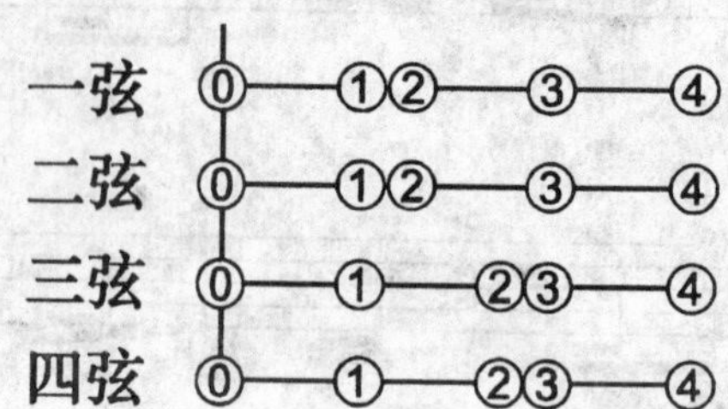

1.G大调音阶、琶音

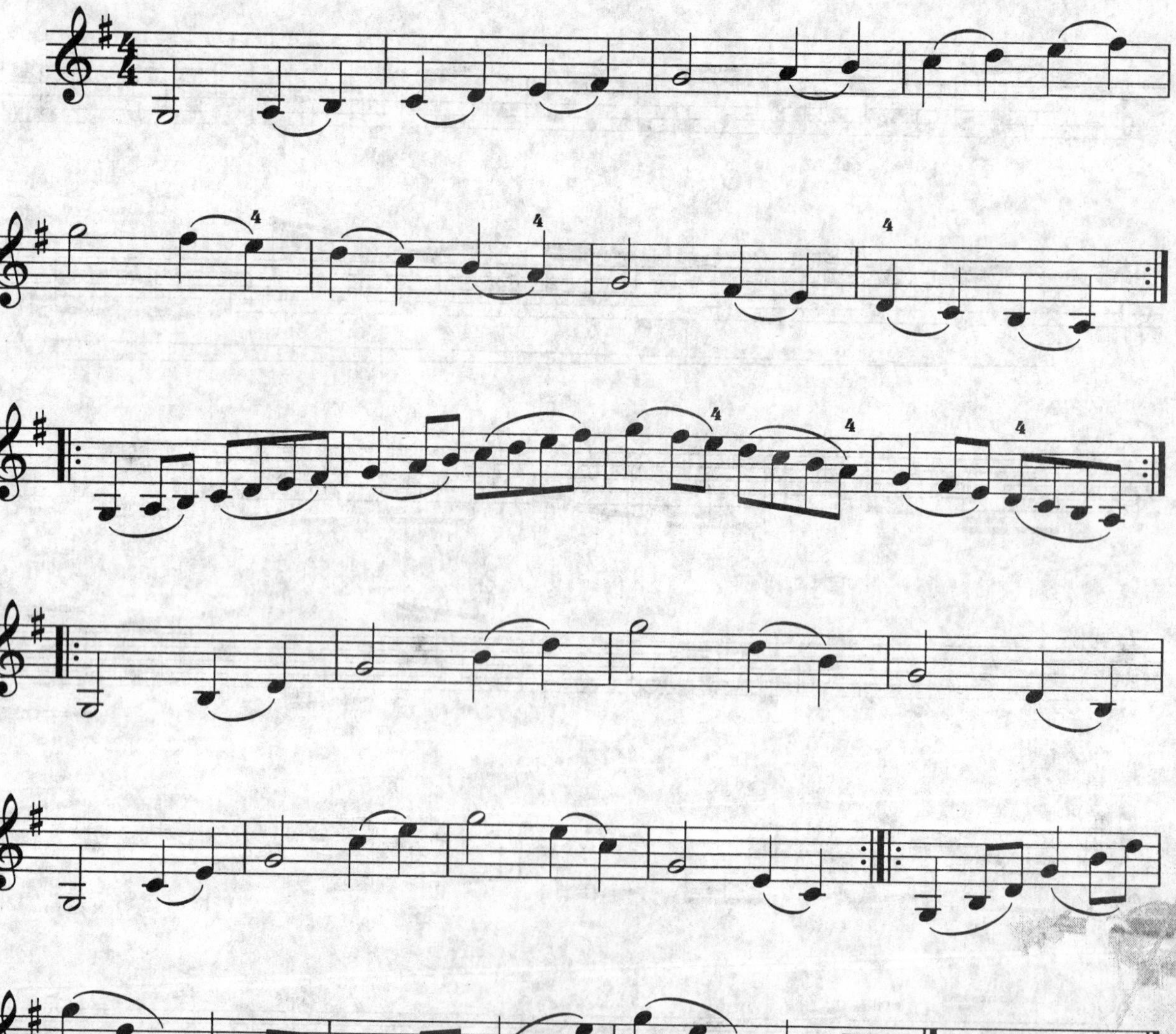

2. 练 习 曲

达 恩曲

适中的快板

mf

3.练 习 曲

中速　　　　　　　　　　　　　　　　　　　　格涅西纳一维塔契克 曲

4.练 习 曲

巴克拉诺娃 曲

5.练 习 曲

科玛洛夫斯基 曲

中速、如歌地

mf *f* *p* *mf* *f* *p*

6.练 习 曲

舍夫契克 曲

小快板

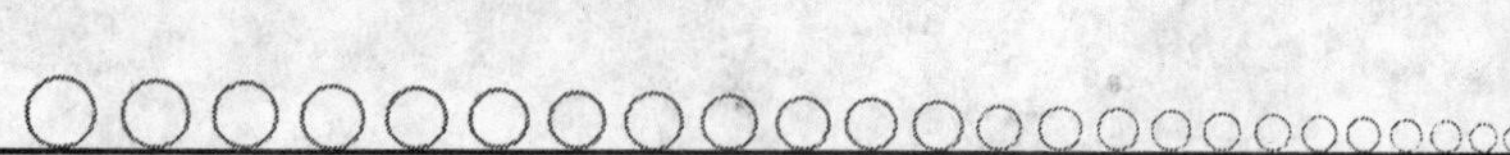

7.练 习 曲

小快板

沃尔法特 曲

mf

rit.

a tempo

注:四分音符用全弓,八分音符用半弓.

8.歌唱二小放牛郎

9.风 铃 草

10.铃儿响叮当

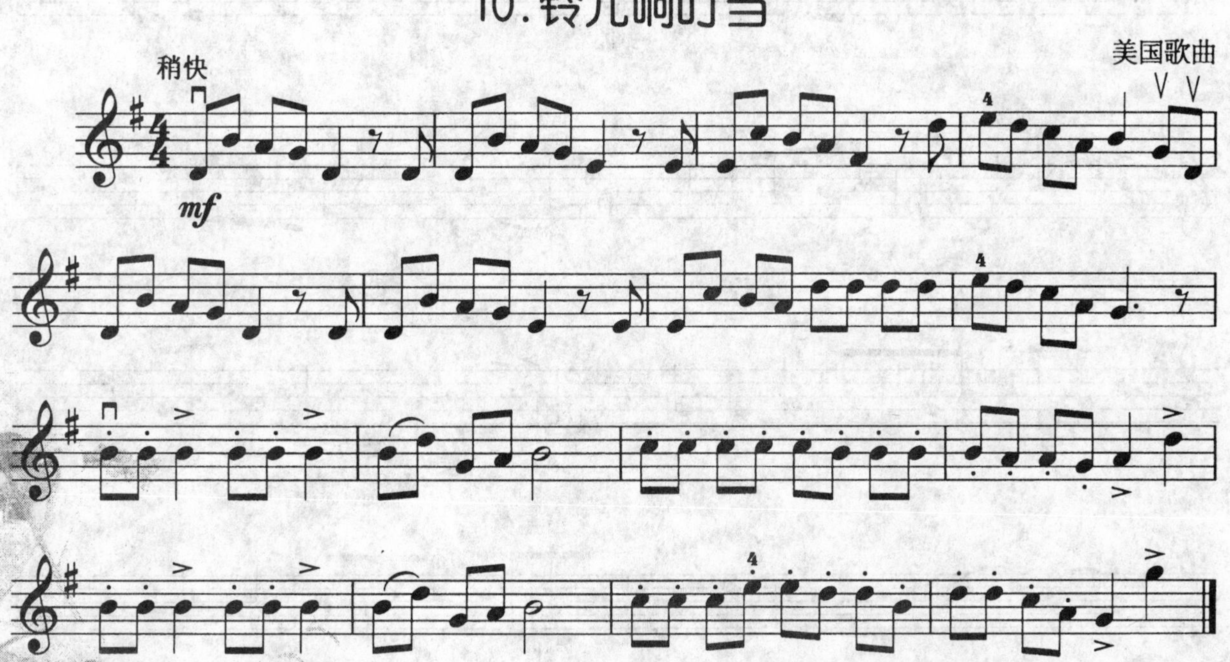

11.摇 篮 曲

12.快乐的农夫

Allegro

舒 曼 曲

f sempre

f

f

f

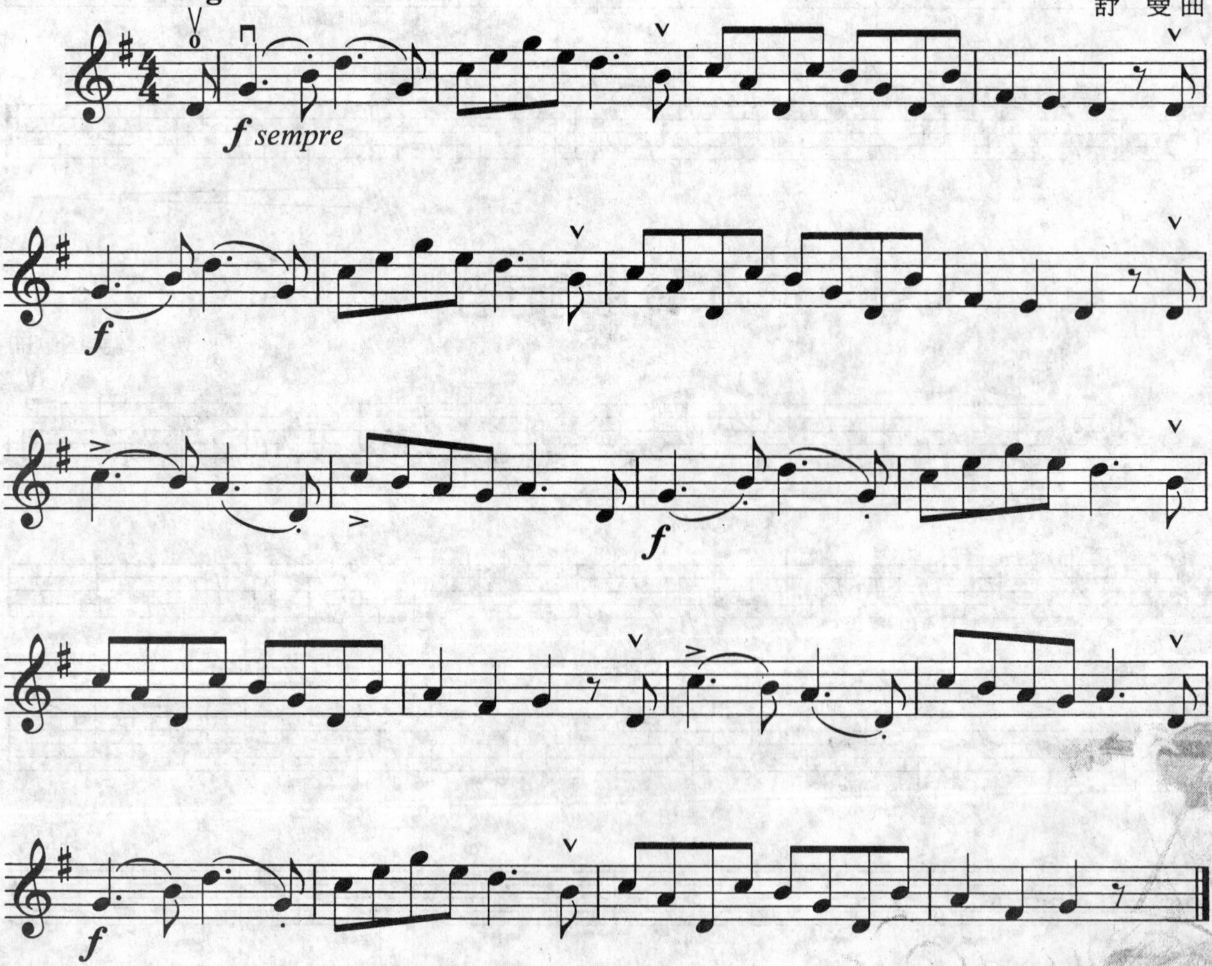

13.猎人合唱

选自歌剧《魔弹射手》

Allegro

韦 伯曲

f

ff

1.

f

2.

f

14.嘀 哩 嘀 哩

中速

潘振声 曲

mf

15.我的祖国

电影《上甘岭》插曲

稍慢　亲切地

刘　炽曲

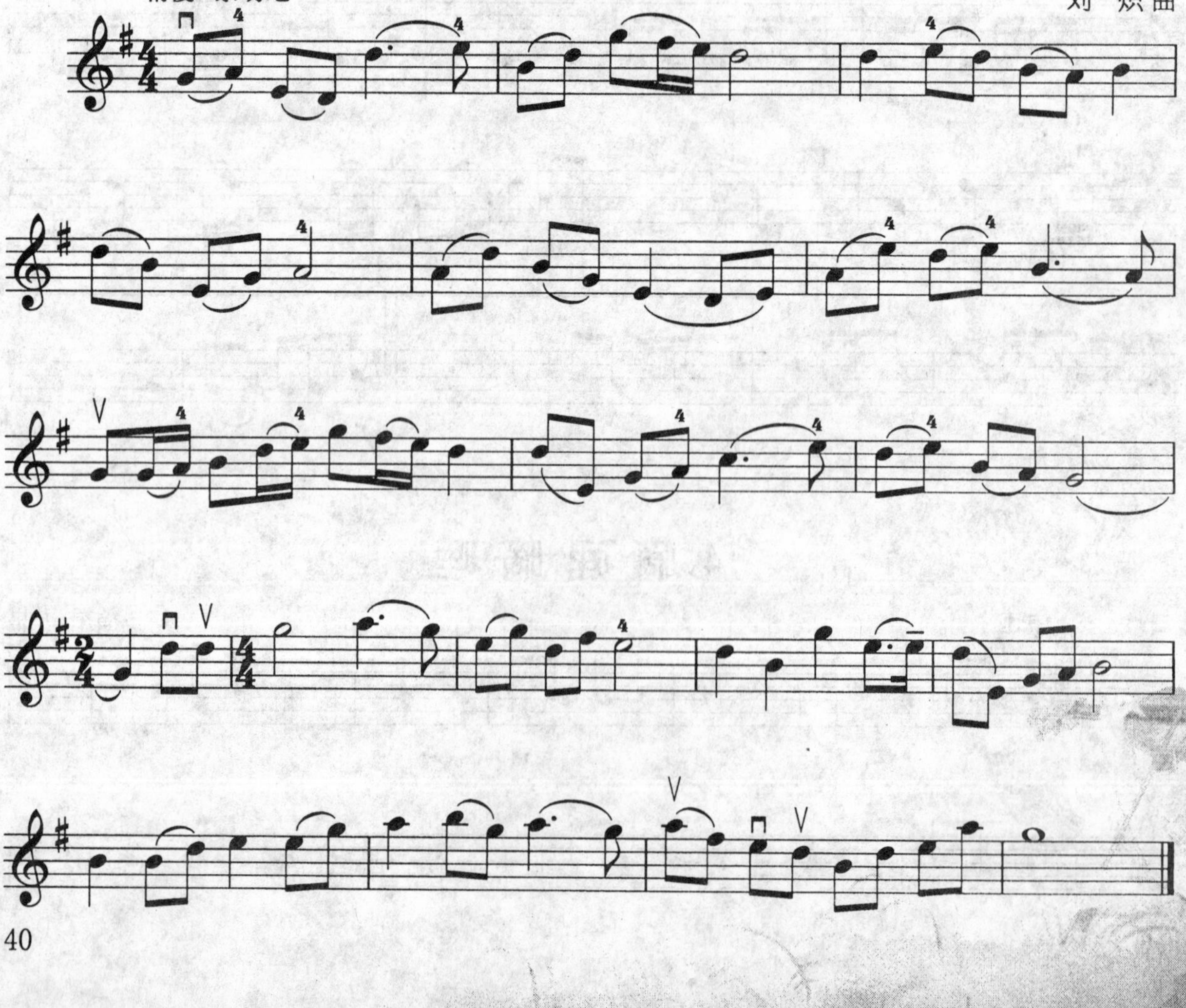

16.中国少年先锋队队歌

行进速度

寄　明曲

17.红 星 歌

电影《闪闪的红星》插曲

雄壮、有力地

傅庚辰 曲

18.喜 洋 洋

刘明源 曲

mf

第十单元　无升降号的音阶、琶音、练习曲、乐曲

手指位置图

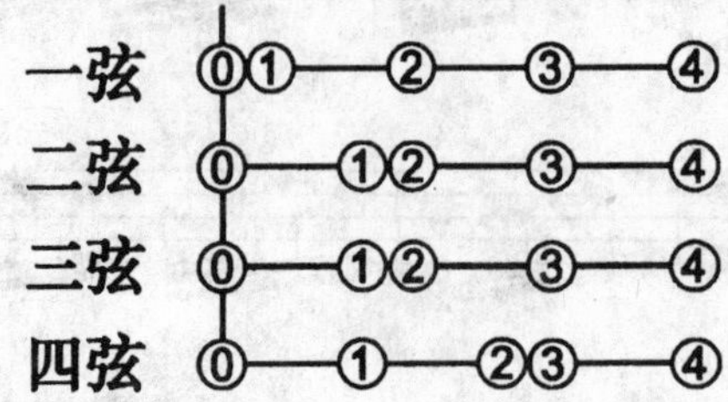

1.音阶与琶音

C大调

a小调

2.练 习 曲

适中的快板

沃尔法特 曲

f

f

3.练 习 曲

康巴格诺尼 曲

4.练 习 曲

康巴格诺尼 曲

f

f

5.练 习 曲

适度的快板

科玛洛夫斯基 曲

下半弓　全弓　上半弓　全弓

mf

mf

p

f

上半弓

p

渐慢　恢复原来的速度

mf

f

注意保留指

6. 练 习 曲

开 塞曲

注意临时变化音

7.练 习 曲

在用同手指演奏半音时，要使用手指本身的动作，不要移动手的位置；手指在指板上前后滑动的动作要敏捷，尽可能使人听不到滑音。本曲中首次出现了降号，演奏时请注意。

适中的快板

沃尔法特 曲

8.洋娃娃与小熊跳舞

瑞典民歌

活泼、跳跃地

mf

9.小 夜 曲

海 顿曲

p

mf

mf

10.行　板

海　顿曲

p　sf　p　pp

11.小河淌水

山歌风　深情地

云南民歌

12. 采蘑菇的小姑娘

谷建芬 曲

13. 小　草

选自歌剧《芳草心》主题歌

王祖皆
张卓娅 曲

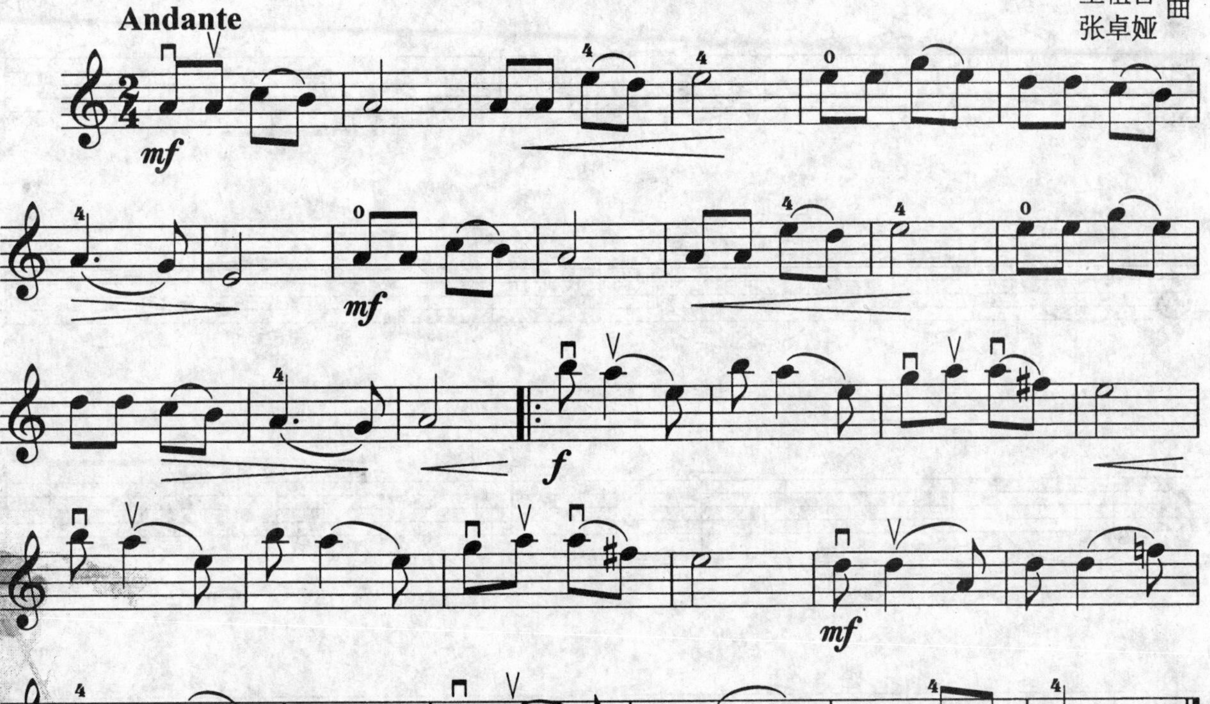

Andante

mf

mf

f

mf

14.绣　金　匾

赞颂地

陕西民歌

渐慢

15.赛　马

黄海怀曲
李贵武改编

快速、奔放地

16.加沃特舞曲

piumosso

a tempo

ritard.

17. 瑶族舞曲

缓慢　幽静地

茅　沅曲

小快板　活泼地

第十一单元　一个降号的音阶、琶音、练习曲、乐曲

手指位置图

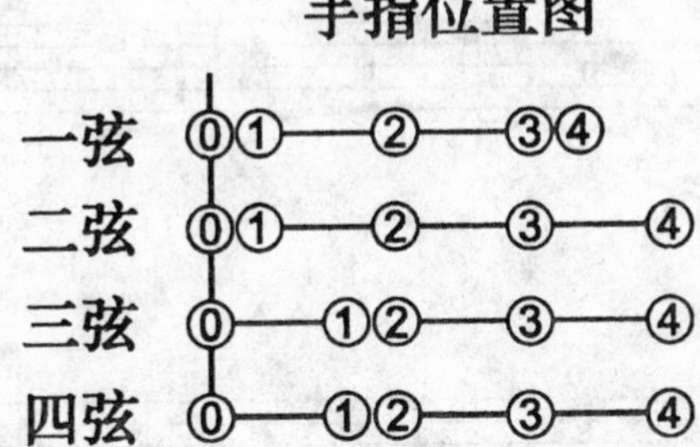

1.音阶与琶音

F大调

d小调

2. 练 习 曲

中速

巴克拉诺娃 曲

mf

3. 练 习 曲

Moderato

沃尔法特 曲

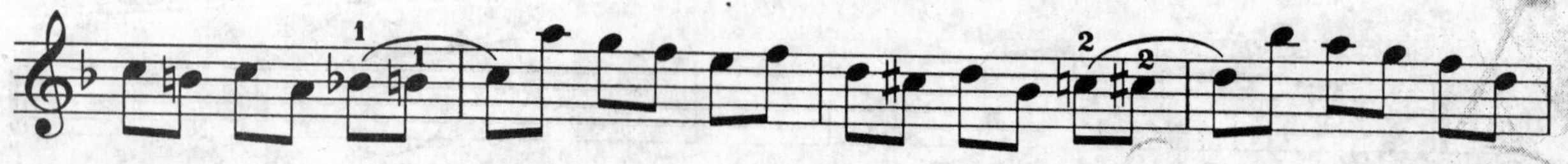

注：此曲在原版基础上略有删节。

4.练 习 曲

适中的快板

沃尔法特 曲

注意变化音的音准。

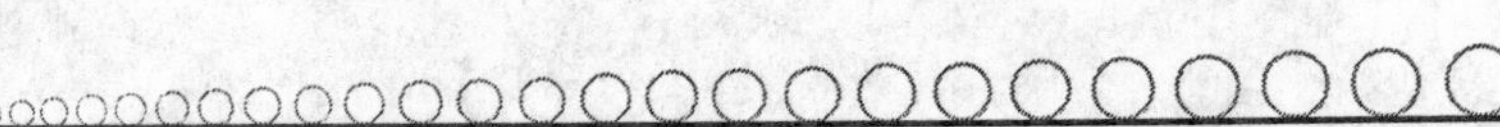

5.莫斯科郊外的晚上

索罗维也夫 —谢多伊 曲

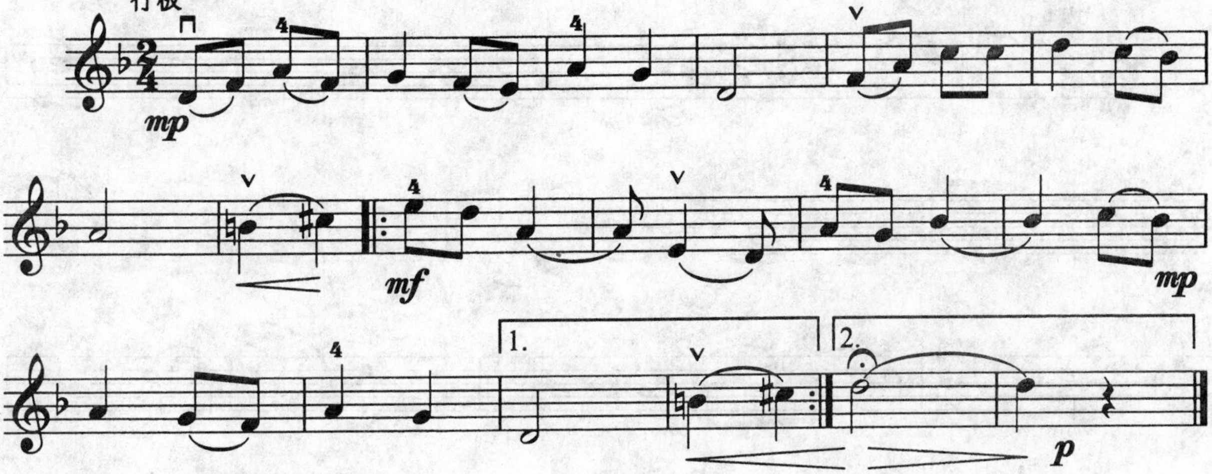
行板
mp
mf
mp
1.
2.
p

6.四　季　歌

日本歌曲

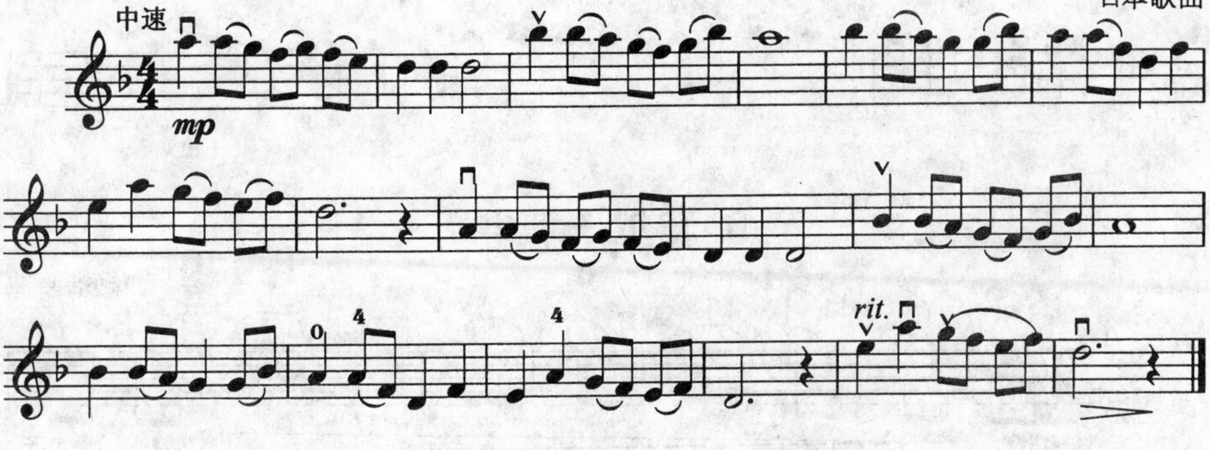
中速
mp
rit.

7.土耳其进行曲

贝多芬 曲

活泼地
p
cresc.
p

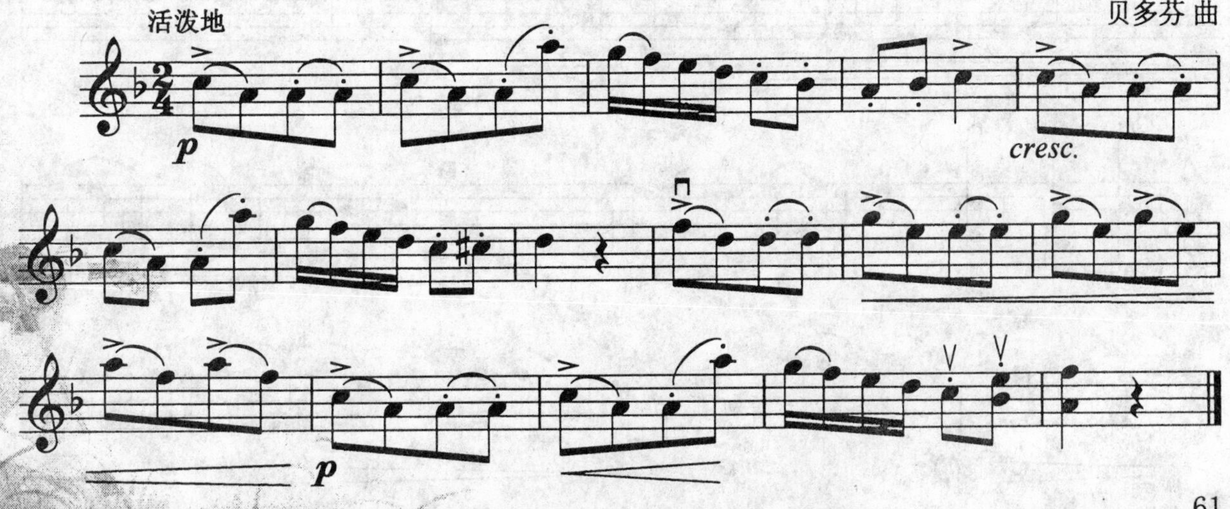

8.小小少年

德国电影《英俊少年》插曲

罗森堡 曲

9.波尔卡舞曲

贝柯维契 曲

10.平安夜

葛路伯 曲

11.两个掷弹兵

Moderato

舒 曼曲

mf

p agitato

cresc.

piu mosso

rit.

Moderato

f

ff

allargando

12. 娘子军连歌

舞剧《红色娘子军》序曲

吴祖强、杜鸣心 曲

中速 雄壮有力

rit.

第十二单元　两个降号的音阶、琶音、练习曲、乐曲

手指位置图

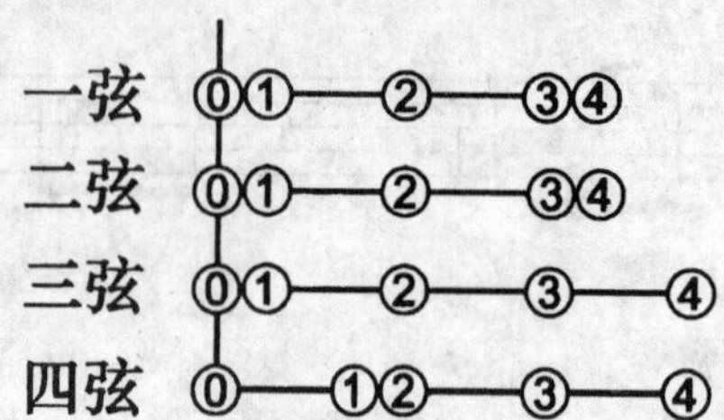

1. 音阶与琶音

♭B大调

g小调

2.练 习 曲

Allegro moderato

沃尔法特 曲

O.H.

f

3.练 习 曲

加姆门里 曲

4.快 板

Vivace

韦 伯曲

5.布列舞曲(节选)

Allegro(♩=84)

巴　赫曲

dolce

mf

f

p

f

p

dim.

6.军民团结一家亲

舞剧《红色娘子军》选曲

中速 亲切、热情 ♩=63

吴祖强、杜鸣心 曲

热烈地

7.行　板

(第三协奏曲第二乐章)

Andante 行板

科玛罗夫斯基 曲

rit.

Piu mosso 更快

p

cresc.

f

p

cresc.

f

rit.

恢复原速

con soid

p 加弱音器

pp

8.抒 情 曲

塞奈烈 曲

Andante poco allegretto

p *p* *pp* *cresc.* *p* *p* *pp* *cresc.* *mf* *p* *Fine* *f* *p* *pp* *cresc.* *f* D.C.

9.热烈的急板

Vivace

艾克列斯 曲

10. 火车向着韶山跑

兰谷　金元 曲
山　　水 改编

快中速　欢快地

mp

mp

渐强

f

f

慢一倍

p

11. 在希望的田野上

欢快地

施光南 曲

12. g小调加沃特舞曲

Allegretto 𝅗𝅥=69

巴　赫曲

poco rit.

13. 婚礼进行曲

Moderato

阿姆布罗西奥 曲

第十三单元　训练左手指灵活的练习

练习要领：开始速度不要太快，手指用指根关节发力并充分活动开，手指可适当抬高。抬指、落指要迅速有力，富有弹性，手指落下后不要死死压住指板。

1.手指练习

此曲可以每弓拉四、八、十六个音符，速度逐渐加快。可以用下面的两种附点音符练习：

①  ②

舍拉蒂克 曲

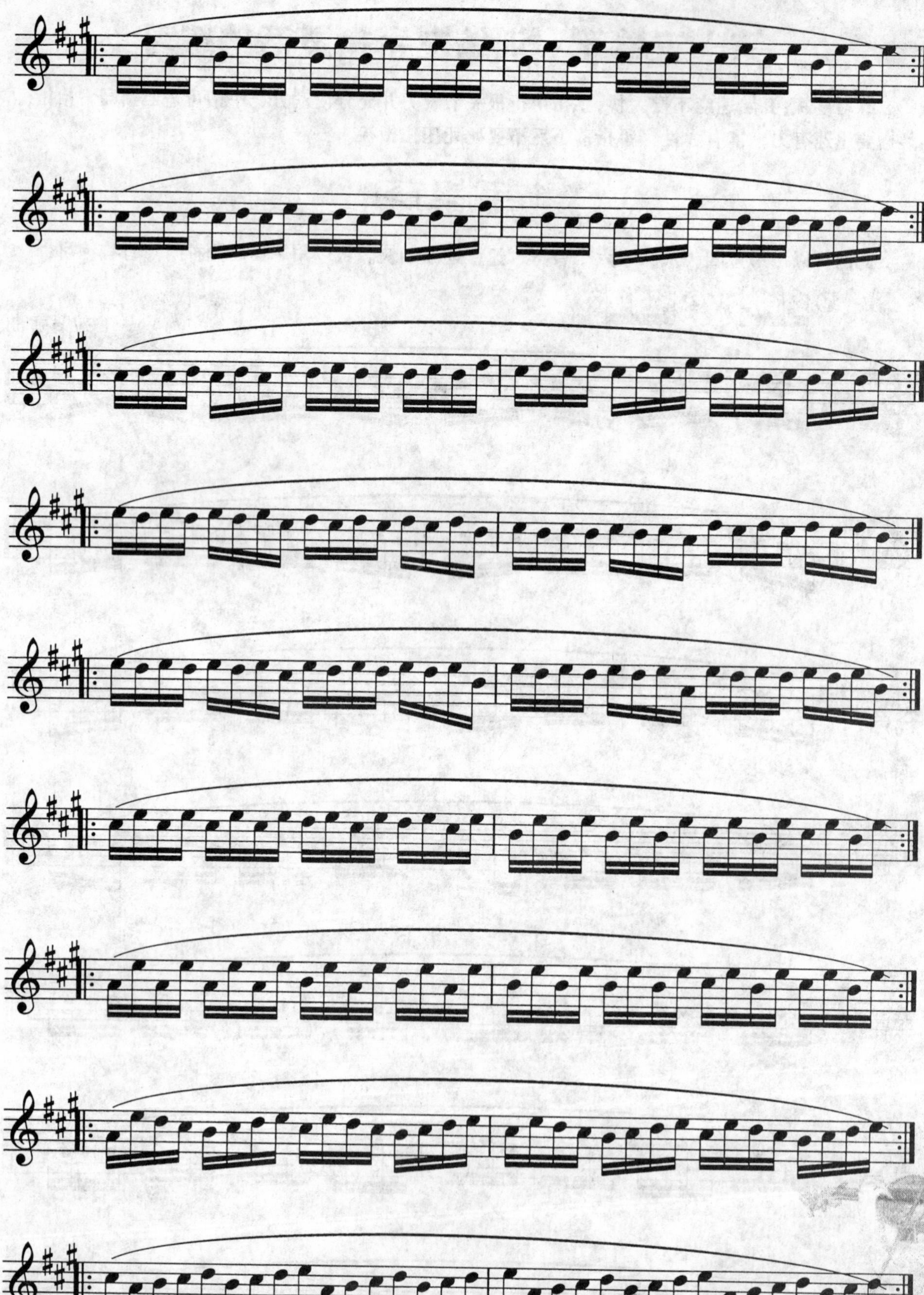

2. 颤音准备练习

莫斯特拉斯 曲

3.练 习 曲

沃尔法特 曲

Allegro

mf 1 mf mf

mf 1 f rit.

a tempo

mf mf

mf f

第十四单元　几种弓法的练习

1.跳　　弓

①自然跳弓：先用中弓练习非常短的分弓。然后注意手指和手腕的放松，并加入一点垂直方向的运弓，借助弦本身的弹性从而把分弓转变为自然跳弓。

②控制跳弓：用弓子的下半弓位置，主要靠右臂控制演奏。

非常快　　　　科玛洛夫斯基 曲

cresc.

mf

pizz.

p

2.顿　弓

开始先用中弓偏上的位置练习，然后再用弓尖和弓根练习。首先对琴弦稍加压力，然后快速运弓后立即放松压力。（简称为“压、快、松”）也应该先用空弦练习，找到运弓方法后再加入左手音符。

加姆门里

3.连 顿 弓

连顿弓就是把两个以上的顿弓用一弓奏出，演奏方法与顿弓基本相同。要注意每个音所用弓的长度要均匀。要避免用弓根演奏。

Allegro moderato

西 特曲

4.换　　弦

这是一首练习分弓换弦技巧的练习曲，建议先用慢速，音与音之间有停顿地练习弓换弦，这样就可以有充裕的时间把整个手臂的重量转移到新弦上去，并有准备地演奏新弦了。要注意放在两根弦之间的角度要小，右手腕放松，柔软。左手注意保留指。

请用下列八种方式练习：

科玛洛夫斯基 曲

顿弓　用弓尖

适中的快板

5.连弓与分弓

（两音连弓、两音分弓）

要把四个音符演奏得很平均。

科玛洛夫斯基 曲

快板

6.连弓与分弓

(下弓一个音　上弓三个音)

这是一首把分弓换弦技巧和不同弓速运弓技巧结合在一起的练习曲。要注意演奏下弓时把弓拉到弓尖，弓速是不均匀的，但是每拍中的四个音符的时值是平均的；

科玛洛夫斯基 曲

cresc.

f

pp

7.连 弓

这是一首训练连弓技巧的练习曲。由于这课在力度变化上的要求，力度弱时运弓要短，力度强时，运弓要长。例如：第一小节第一拍只用1/3的弓，第二拍用2/3的弓，第三拍用2/3的弓，第四拍用1/3弓。换弦的角度要圆滑、流畅。

扬尼希诺夫 曲

从零起步学小提琴

第十五单元　乐曲10首（一把位）

1.秧　歌　舞

Allegretto 快板 ♩=100

李自立 编曲

Presto 急板

2.八月桂花遍地开

稍快 热情

根据江西民歌改编

f *f* *mp* *f* *f* *mp* *f*

中速

rit. *dolce*

rit.

稍快

mf *mp*

mf

mp

mf

f

mf

快板

ff

rit.

3.优美的变奏曲

亨利·法尔默 曲

Theme

mf

f

变奏I

p

变奏II

变奏III

1.　2.

4. b小调回旋曲

mf

f

p

mf

mp

f

p

f

poco rit.

5.小奏鸣曲

Moderato

巴克拉诺娃 曲

p f mf f p f p f p f p p

espressivo

mf

p *f* *p* *cresc.* *p* *p* *f* *f*

6.小协奏曲

(G大调)

Allegro (快板)

科马洛夫斯基 曲

f

p *rit.* **5** *a tempo* *f*

mp

6 *mf*

p

accell *cresc.*

7 **Più mosso**

cresc. *rit.* **8** *allargando* *f*

ritenuto *ff*

7. b小调协奏曲

第一乐章

Allegro moderato

里 丁曲

8. b小调协奏曲

第三乐章

里 丁曲

Allegro moderato

mf espressivo

rit. dim.

a tempo mf f

mf mf

f f

f

mf

rit. Meno mosso 2

mf espressivo

9.第五协奏曲

第一乐章

塞　茨曲

Allegro moderato

rall.

solo a tempo

f risoluto

mf

p

ritard

a tempo

f risoluto

dim.

p respress. cresc.

p cresc. f molto cresc.

ff mf

cresc.

f p f

tranquillo e dolce

f p

p

p

cresc. f

f brillante

cresc.

下半弓

10. 第二协奏曲

第一乐章

塞 茨曲

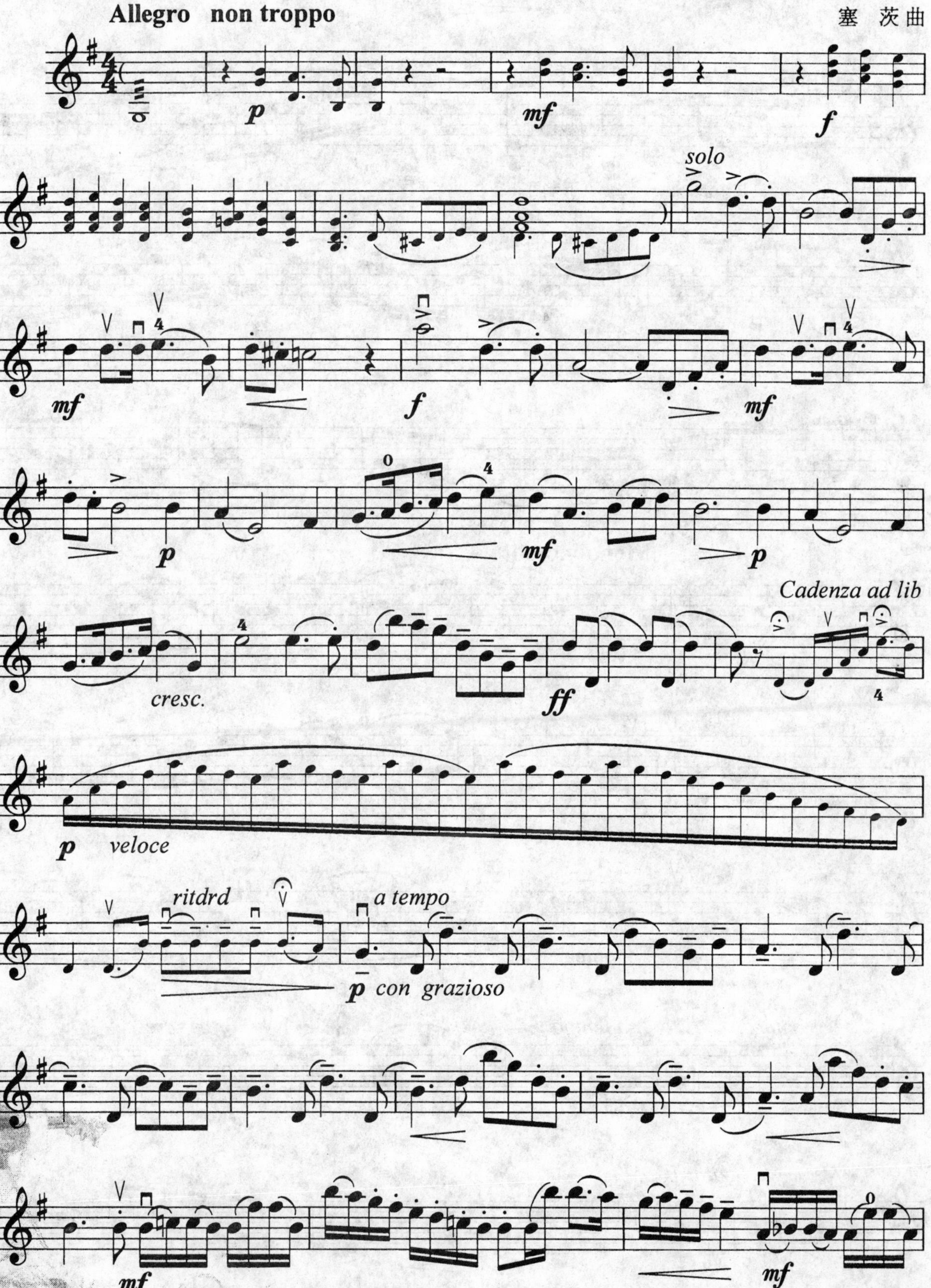
Allegro non troppo
p
mf
f
solo
mf
f
mf
p
mf
p
Cadenza ad lib
cresc.
ff
p veloce
ritdrd
a tempo
p con grazioso
mf
mf

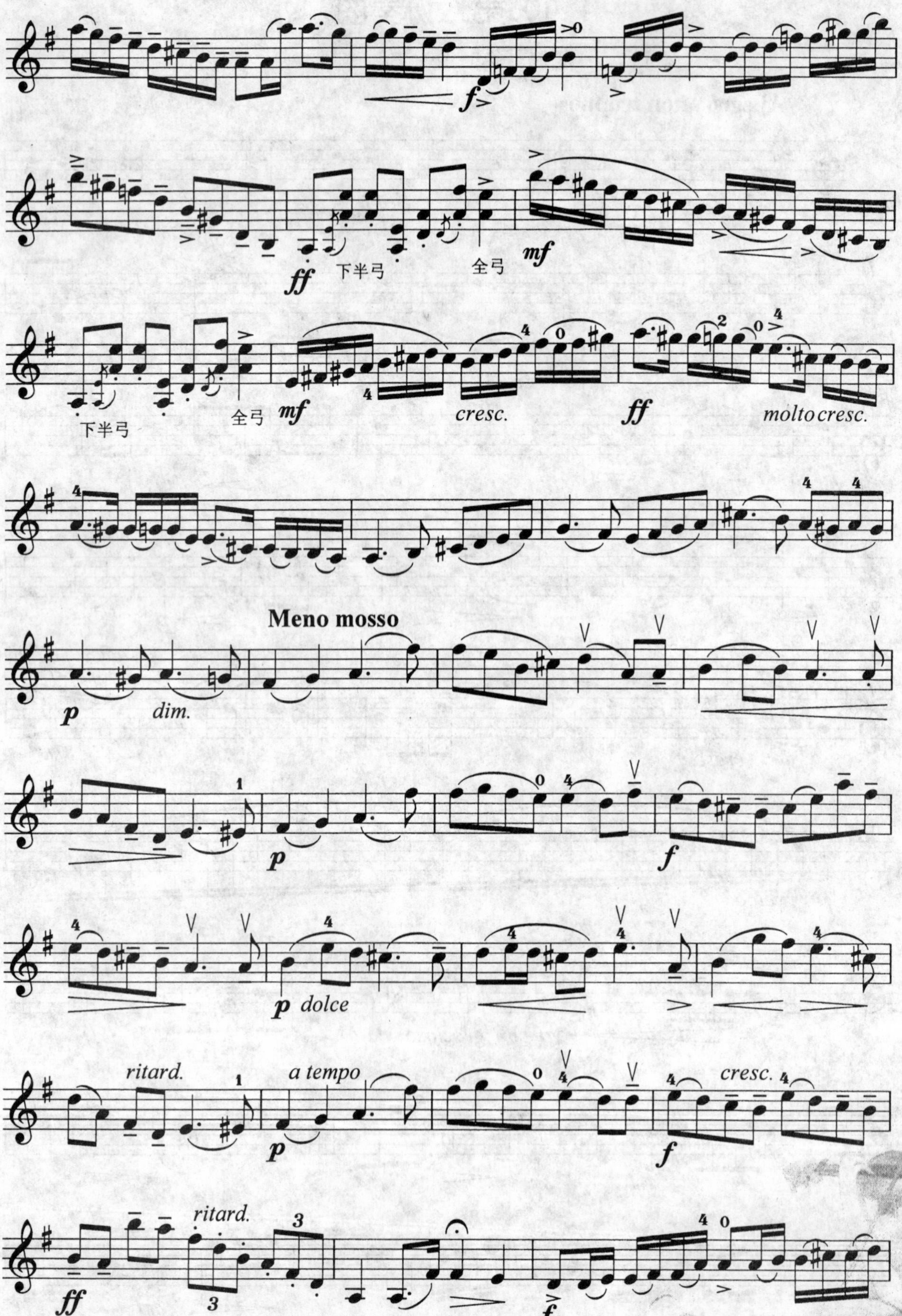

下半弓 全弓 下半弓 全弓

Meno mosso

ff *mf* *cresc.* *molto cresc.* *p* *dim.* *f* *p dolce* ritard. a tempo cresc.

p

cresc.

f grazioso

p

f

下半弓

f

p

f

cresc.

f

cresc.

ff

tenuto rit.

ff

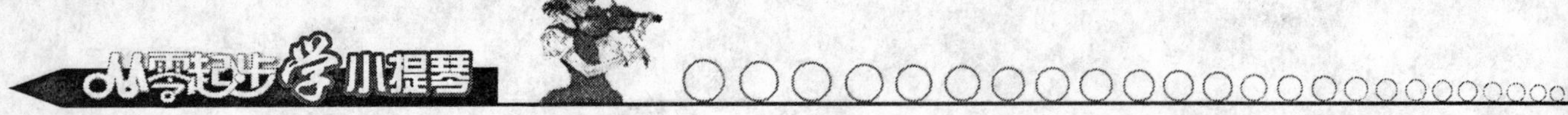

第十六单元　三把位的音阶、琶音、练习曲、乐曲

先学习固定把位，待熟练掌握后再学习换把，注意三把位的手指之间的距离要比一把位窄一点。熟悉新的手指位置及远近关系。

1.三把位的音阶、琶音

C大调

2.练习曲（固定把位）

Moderato

沃尔法特 曲

O.H.

mf

3.樱　　花

中速　　　　　　　　　　　　　　　　　　日本民歌

注:此音把1指后退半音，不必换把位。

4.欢　乐　颂

宽广宏伟　　　　　　　　　　　　　　　　贝多芬 曲

5.泛音练习曲

泛音是小提琴演奏中一种常用技法。演奏泛音要注意以下要点：

1.手指位置要准确。2.按弦手指一定要轻放在弦上。3.其他手指要伸张开，不能保留。

6.练习曲(固定把位)

注意D大调两个升号的手指关系。本曲最后一行为D大调音阶，可以提前练习。

7.练习曲(固定把位)

可先用一弓三个音练习，熟练后再按谱子弓法。注意中段两个降号的手指关系变化。

小快板

沃尔法特 曲

8.练习曲(利用空弦换把)

在演奏空弦时，手指要运动到新的把位做好准备。

9.练习曲(利用空弦换把)

Allegro

沃尔法特 曲

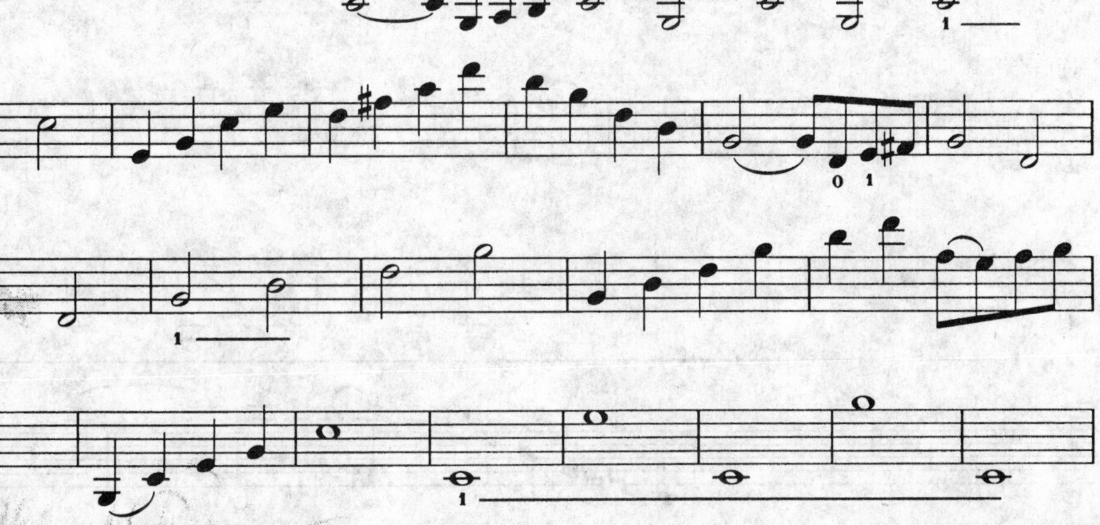

U.H.

G.B.

10.练习曲(同指换把)

换把位之前的那一瞬间，要放松手指在指板上的压力。

中板

科玛洛夫斯基 曲

mf

rit.

a tempo

p

rit.

11.练习曲(不同指换把)

12.练习曲(综合换把)

沃尔法特 曲

中板

rit.

13.都达尔和玛利亚

♩=76

哈萨克族民歌

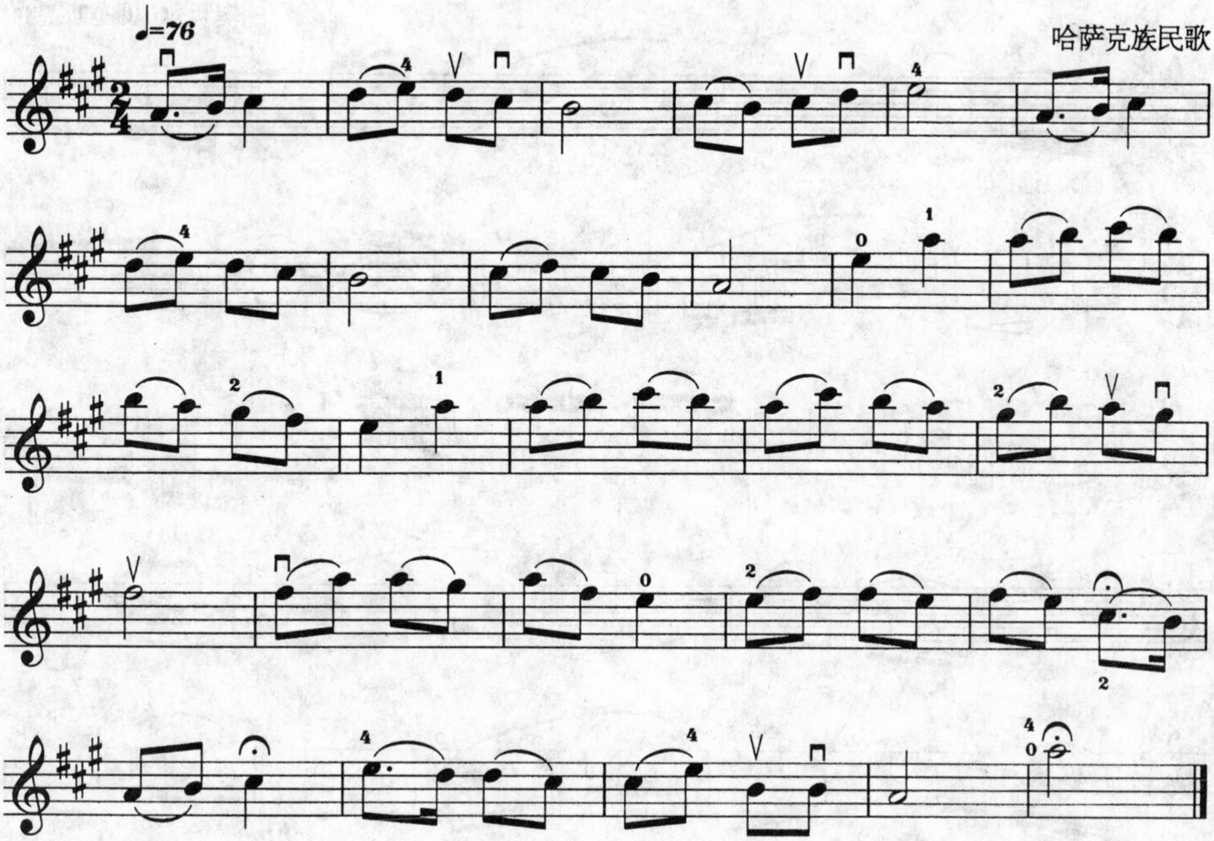

14.茉 莉 花

♩=80

江苏民歌

15. 铃 鼓 舞

奥贝尔 贝连斯基 曲

Vivace

f（第二遍 *p*）

mf

sf

f

Fine

p

f

f

D.C. al Fine

16.洪湖水浪打浪

稍慢　优美抒情地

张敬安　欧阳谦叔 曲

17.牧羊姑娘

慢中速、如歌地

黎国荃 编曲

第十七单元　二把位的音阶、琶音、练习曲、乐曲

先学习固定把位，待熟练掌握后再学习换把。注意二把位的手指之间的距离要比一把位窄一点，比三把位宽一点。熟悉新的手指位置及远近关系。

1.二把位的音阶、琶音

C大调

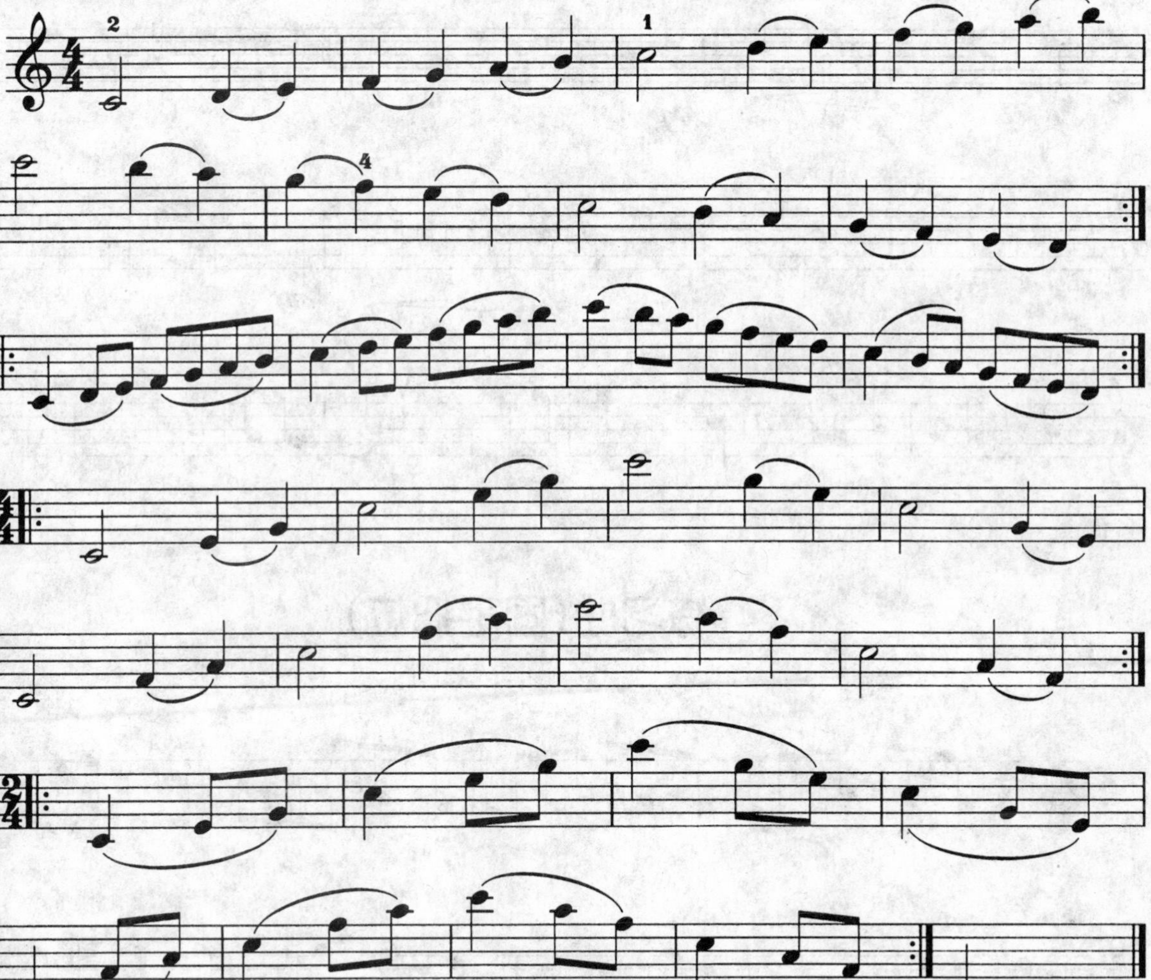

2.练习曲(固定把位)

小快板　　　　　　　　　　　　　　　　　科玛洛夫斯基 曲

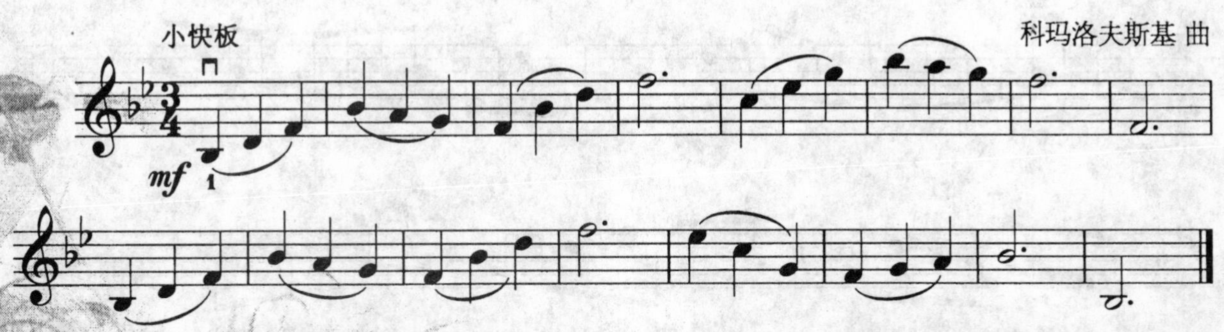

3.练习曲(固定把位)

中板　　　　莫斯特拉斯 曲

4.练习曲(固定把位)

李　斯曲

5.粉 刷 匠

快板 活泼地 列辛斯卡亚 曲

1.
2.

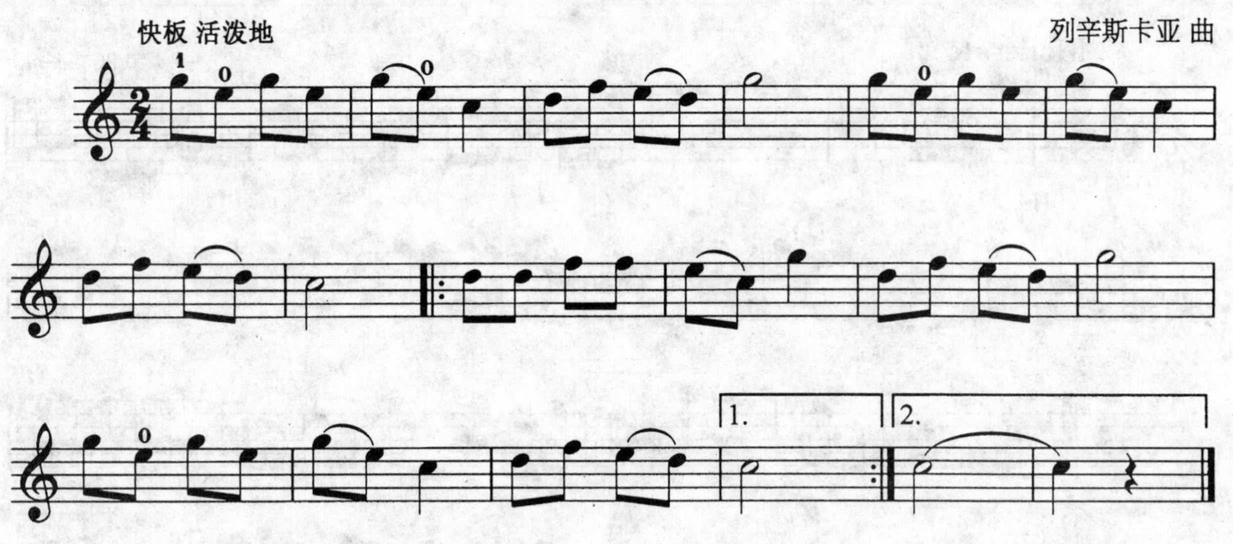

6.采 茶 扑 蝶

Allegro 活泼地 福建民间歌舞曲

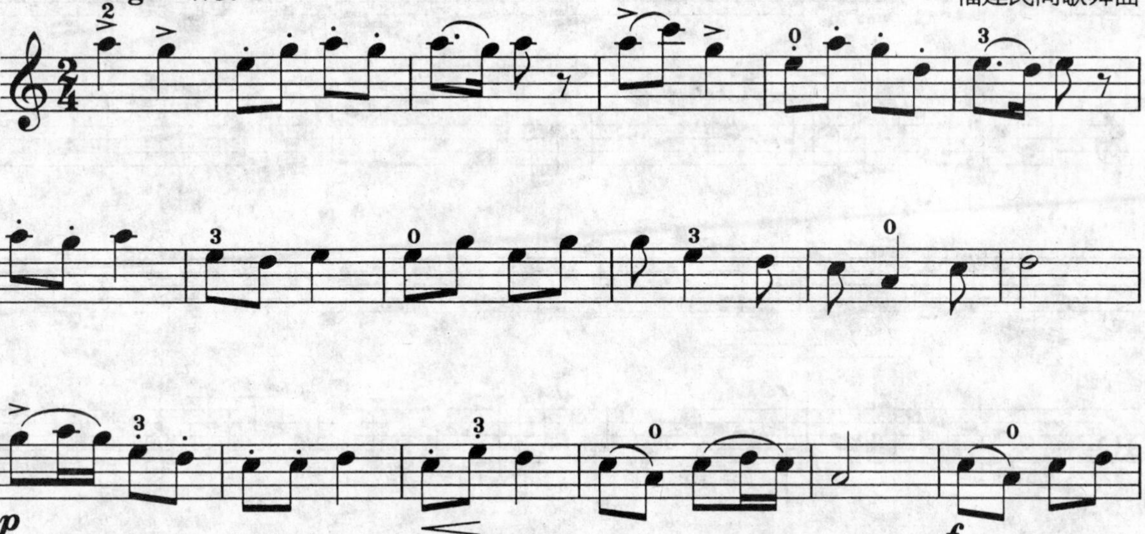
p
f
p
Fine
D.C. al Fine

7. 练习曲(固定把位)

Moderato

西 特曲

II

8. 练习曲(同指换把)

建议先去掉连弓,全部使用分弓进行练习,在按照乐谱上标记的弓法演奏时,连弓所演奏的第一个音符的运弓要短,第二个音符的运弓要长。

沃尔法特 曲

中板

9.横纵向一、二、三把位音阶练习

(1) 横向

李本华 编曲

一把

二把

三把

二把

一把

(2) 纵向

四弦 三弦

二弦 一弦

二弦

三弦 四弦

这是一、二、三把位的音准练习，此练习要注意三个把位不同的手指排列及距离。

10.四 季 调

青 海 民歌
家 阳 编曲
黄晓芝 改写

速度较自由抒情地

中速

mp

突慢

回原速

pizz.

第十八单元　双音练习曲12首

双音的准备练习和简易的双音练习曲

双音对训练听觉的敏锐性，左手的独立性，运弓平面的稳定方面都是非常有益的，因此应当尽早地对学生进行系统的双音技巧训练。可先练习一、二弦，二、三弦，三、四弦的空弦练习。注意弓子在两根弦上的角度和压力要平均，发音要轻一些。

1

罗迪奥诺夫 曲

p

4
0

2

4

4

3

4
0

4
0

4

0

4

4

4

5

6

7

8

小快板

卡姆巴尼奥里 曲

9

里 斯曲

10

11

中速

科玛洛夫斯基 曲

p

mf

渐慢

原速

p

12

活泼地

沃尔法特 曲

f

rit.

a tempo

第十九单元　揉　　弦

揉弦是小提琴重要的表现手段，左手放松是学习揉弦的关键。开始可以用右手扶住琴身，让琴稳定，或把琴头轻轻顶在墙上练习。先用慢速度有节奏的练习，注意频率和幅度要均匀。食指根要稍离开琴脖。手指、手腕、手臂的揉弦都要学会，然后根据音乐的表现需要来选择结合使用。

1.友谊地久天长

中速、怀念地　　　　［英］苏格兰民歌

2.梦幻曲

Andante espressivo

舒　曼曲

p ritard. ritard. ritard. a tempo ritard. *p*

3.圣 母 颂

Andante sempice

巴赫—古诺 曲

p *Avec le sentiment contemplatif*

4.红　楼　梦

电视剧《红楼梦》选曲

王立平 原曲
杨林等 编曲

Moderato assai 深情地

mf *dolceissimo*

mp

mf

mp

mf

Allegretto

f

rit.

a tempo

mp

rit.

p

5.牧　　歌

东蒙民歌
沙汉昆 曲

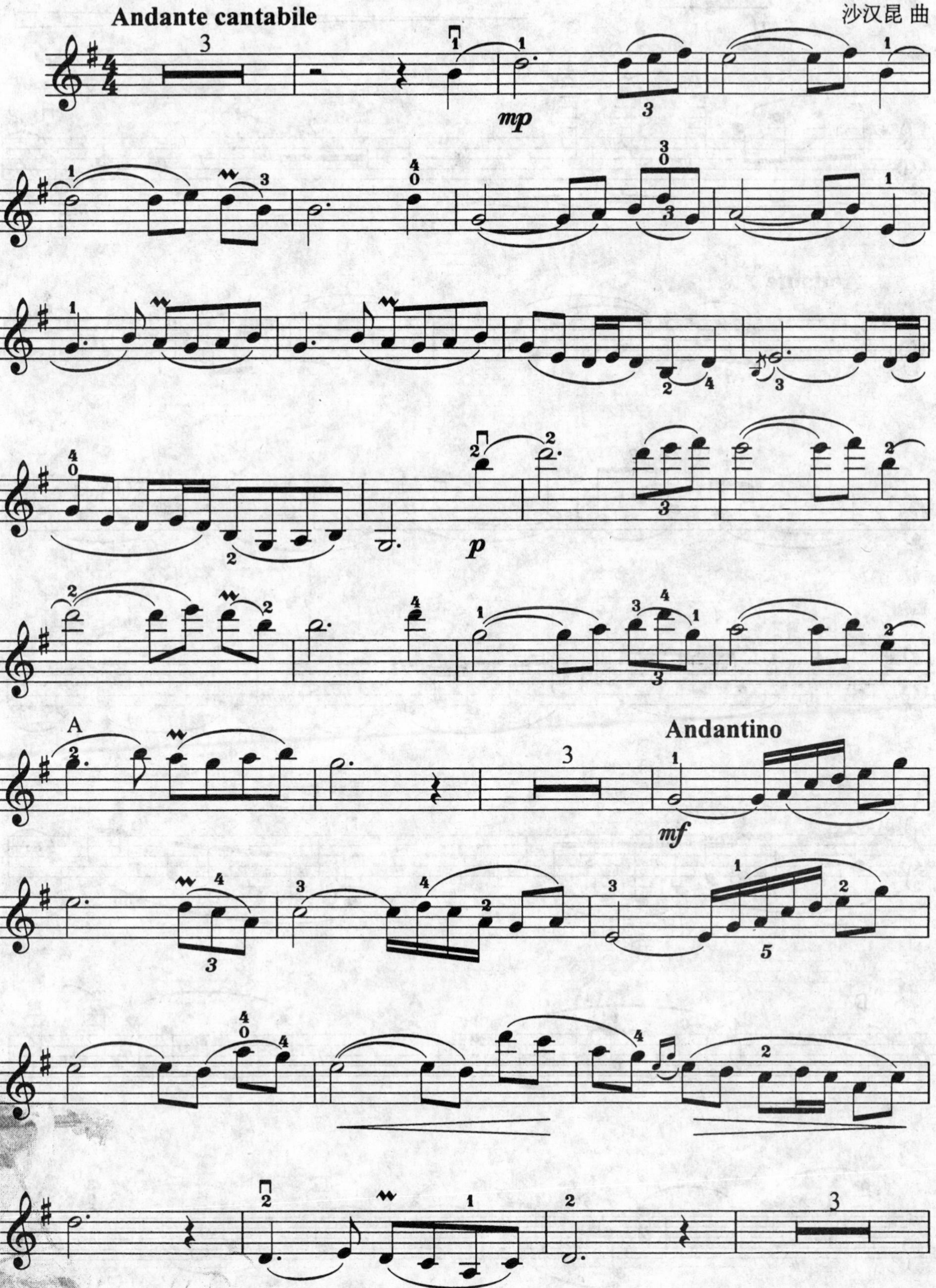

Andante cantabile

A

Andantino

Andante

第二十单元　乐曲10首

1.北　风　吹

舞剧《白毛女》选段

纯朴、喜悦地
速度自由

李克强 编曲

2.欢 乐

选自《儿童假日组曲》之五

司徒华城 曲

Vivo

f *p* *f* *p* *f* *ff* *mf* *f* *dim.*

Meno mosso

p *cresc.* *f* *mp*

mf *rit.*

a tempo

f

p *f*

p *f*

ff *mf*

f *f*

p *cresc.* *molto*

f *ff*

3.良　宵

刘天华 曲

♩=48 幽静慢板

4.保卫黄河

洗星海 原曲
根据钢琴协奏曲
李本华 编曲

♩=176 斗志昂扬

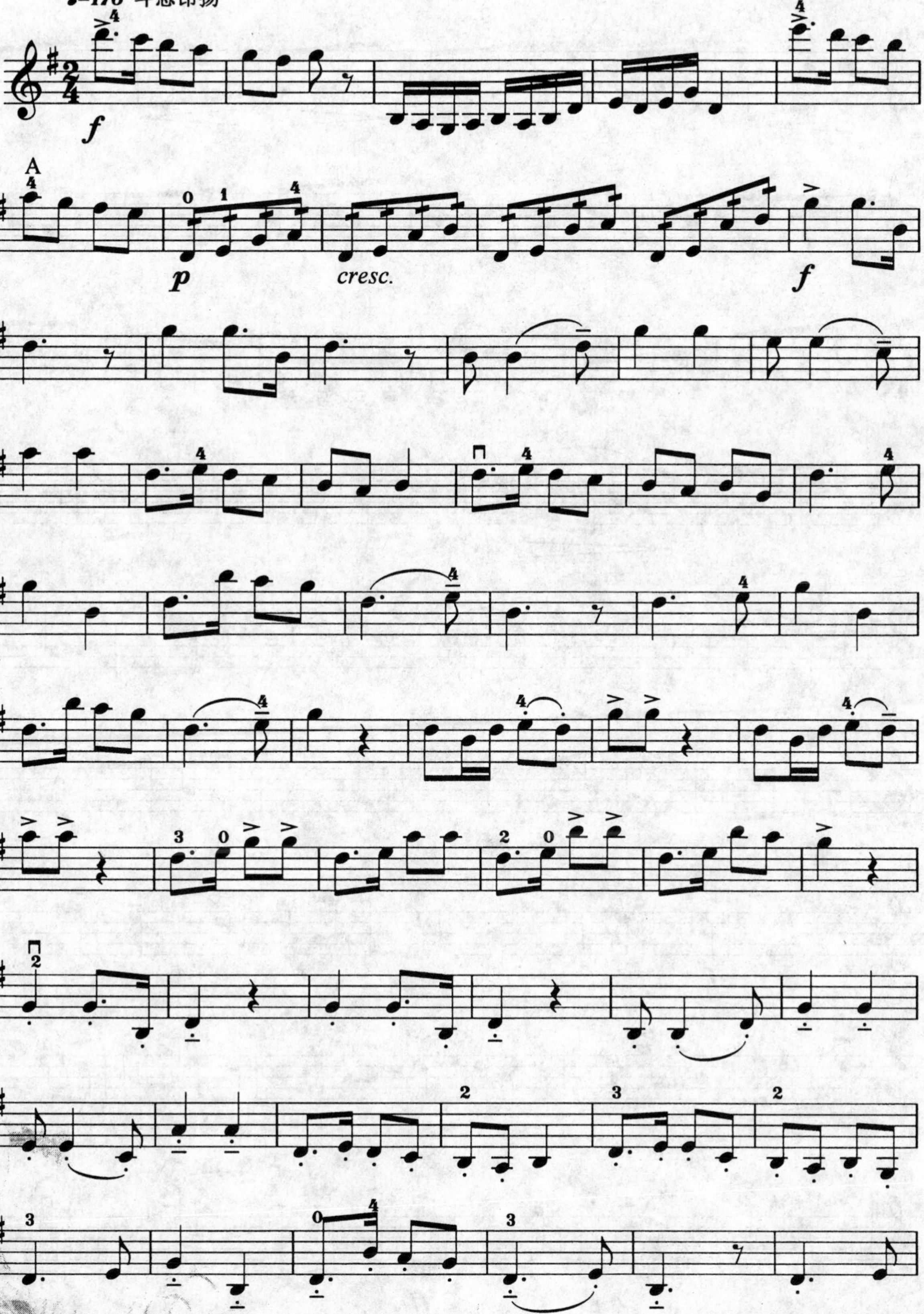

f *p* *cresc.* *f*

A

突慢

5.翻身的牧童

稍慢、如歌地、带回忆性地

彭家幌 曲

Sul G

Sul A

Sul D

稍慢 激动地

快板 热烈地

活泼 轻快

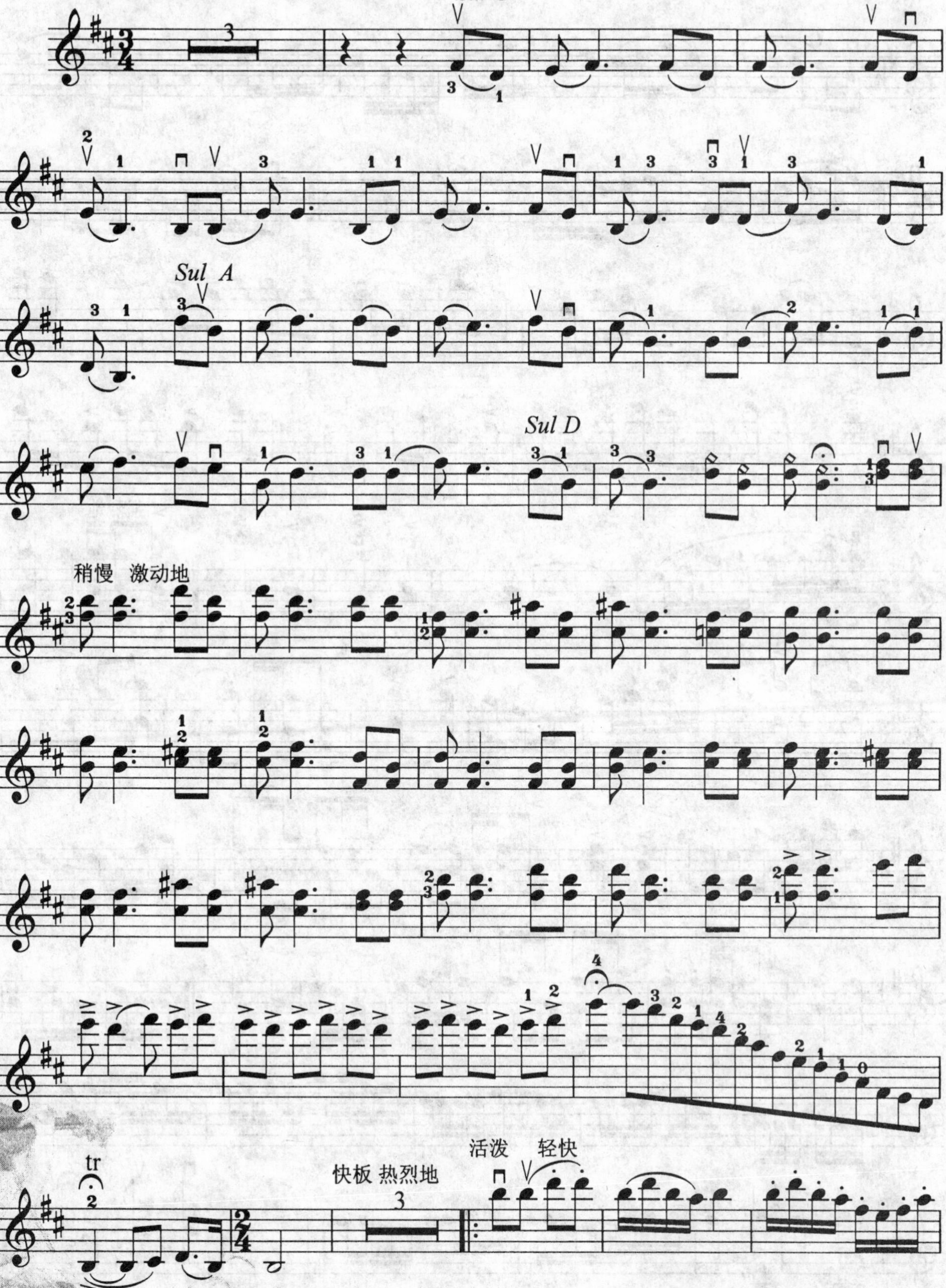

强烈地

6.梁山伯与祝英台（节选）

何占豪、陈 钢曲

G D G
mf

pp mp
A

f

7.四小天鹅舞

舞剧《天鹅湖》选曲

柴科夫斯基 曲

注：+为左手指拨弦。

8.新 春 乐

Allegro

茅 沅曲

legato

f

f

A

mp

cresc.

dim.

rit.

a tempo

mf

f

A

mp

f

mp

unt

f

legato

f

mf

f

mp

più mosso

mp *cresc.*

tr tr tr tr

mf

molto allargando

rit.

ff

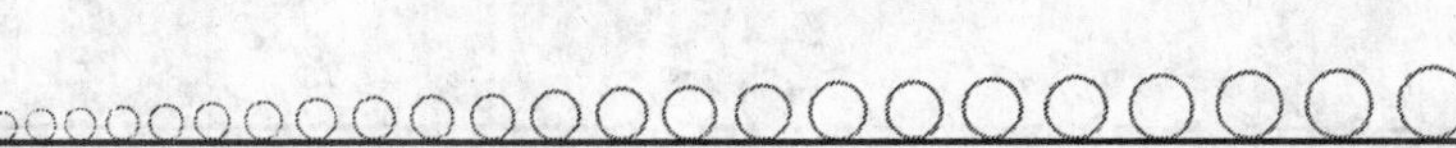

9.第三号奏鸣曲

第二乐章

Allegro(♪=约112)

享德尔 曲

poco a poco cresc.

cresc.

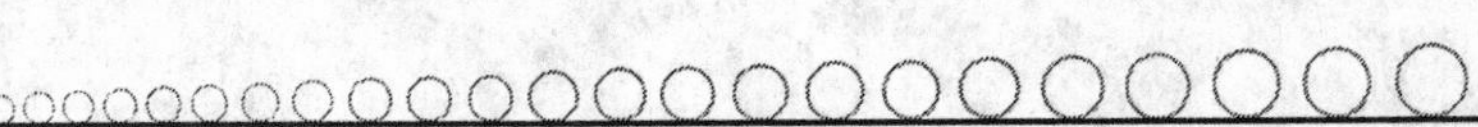

10.快　　板

Allegro

费奥科 曲

f *p* *crese.* *f* *p* *f* *mf* *f* *p* *cresc.* *f* *mf*

dim. poco a poco *cresc.*

ff **p** *poco a poco* *cresc.*

poco *rit.* *a tenuto*

f

poco a poco cresc.

f *poco a* *poco* *dim.*

poco a *poco*

cresc. **f** **ff** *rit.* **f**

a tenuto

p

p

cresc. *f* *p*

f *mf* *f*

p

cresc.

f *mf*

dim. poco a poco *cresc.*

ff *p* *poco a poco cresc.*

f

第二十一单元　重奏曲8曲

重奏对培养学生的音准、节奏及合奏能力有非常重要的作用，要重视重奏的训练。两人可以轮换练习两个声部，也可以由多人来演奏不同声部。

1.小　鸭　子

陈世宾 编曲

mp sim.

p cresc.

p

f

f

p mf

p

p *cresc.* *cresc.*

p *cresc.*

f

mf stau.

p

p

cresc. *poco* *a*

cresc. *poco* *a* *poco*

poco f mf staa.

p p

cresc. f

p p f f

p

cresc. *f* *p*

f *mf* *f*

p

cresc.

f *mf*

dim. poco a poco *cresc.*

ff *p* *poco a poco cresc.*

f

第二十一单元 重奏曲8曲

重奏对培养学生的音准、节奏及合奏能力有非常重要的作用，要重视重奏的训练。两人可以轮换练习两个声部，也可以由多人来演奏不同声部。

1.小 鸭 子

陈世宾 编曲

mp sim. p cresc. p f f p mf

p
cresc.
cresc.
p
cresc.
cresc.
f
mf stau.
p
p
cresc.
poco
a
cresc.
poco
a
poco

poco f mf staa.

p p

cresc. f

p f f

2.苏武牧羊

古　　曲
杨宝智改编

Moderato

3.三十里铺

陕北民歌
杨宝智改编

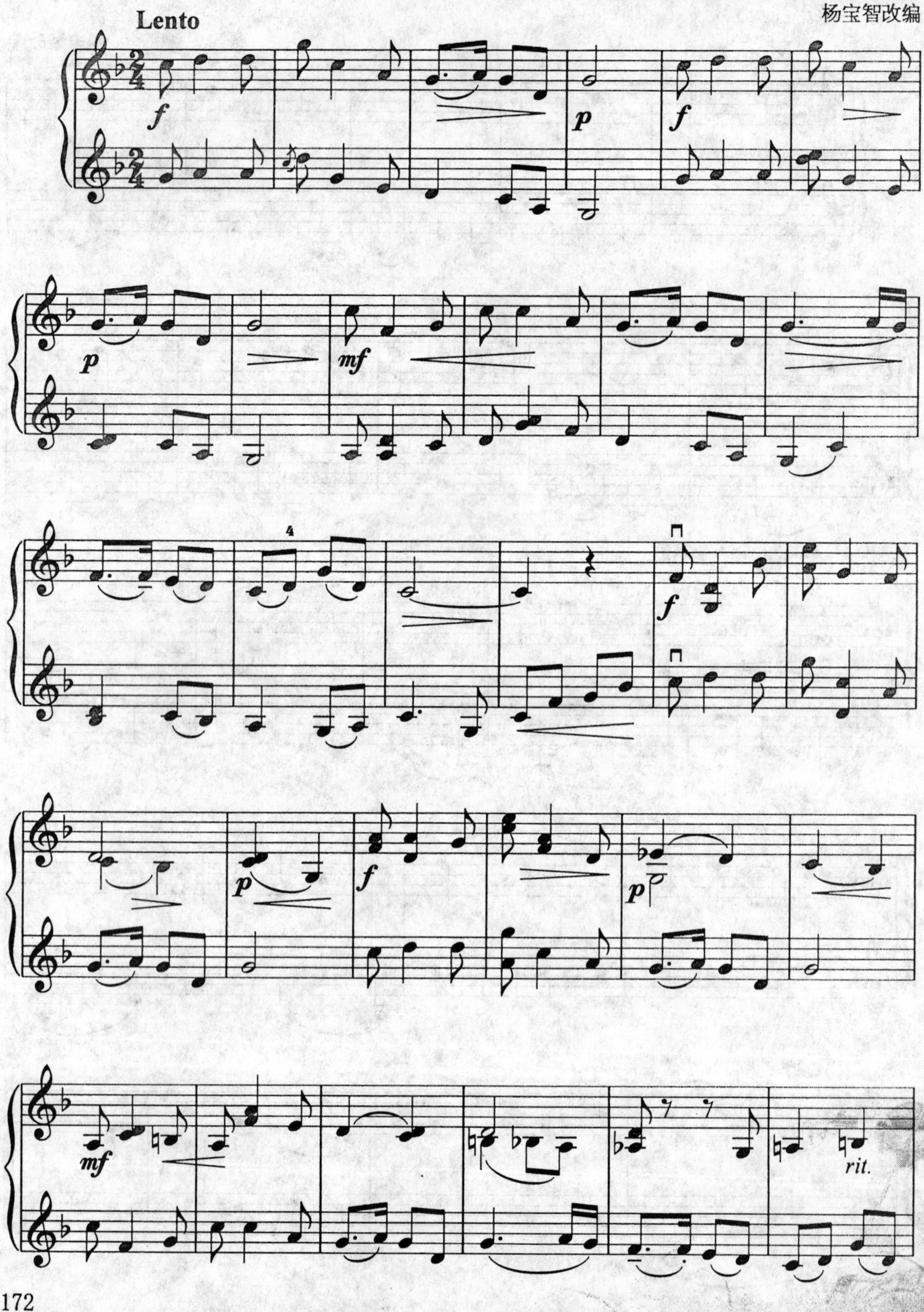

Lento

f *p* *f* *p* *mf* *f* *p* *f* *p* *mf* *rit.*

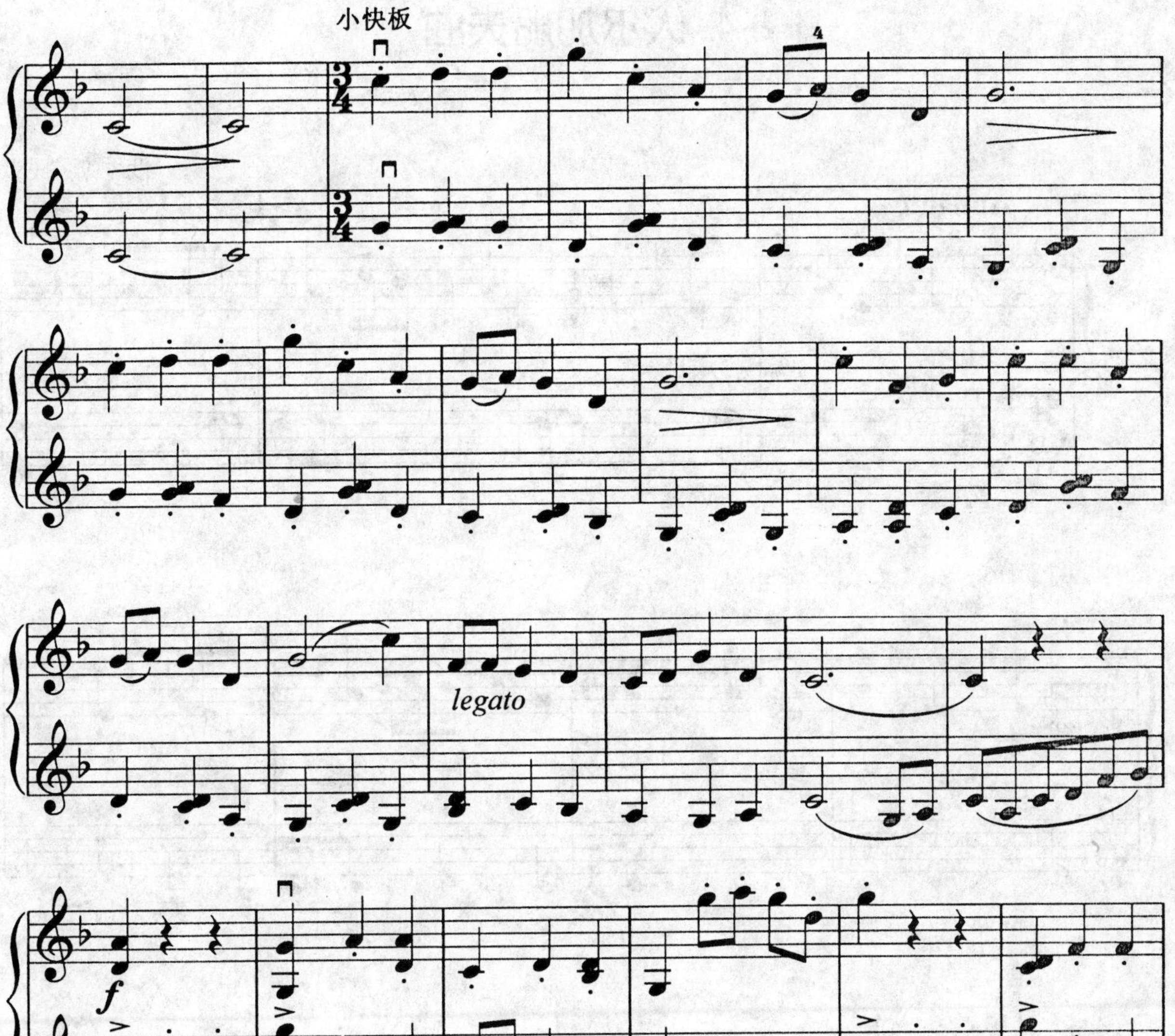

小快板

legato

f

legato

meno messo

rit.

rit.

4.伏尔加船夫曲

俄罗斯 民歌
选自桑多尔《小提琴教程》

Andante

5.故乡的亲人

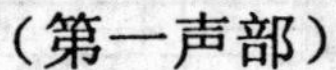

（第一声部）

福斯特 曲

5.故乡的亲人

（第二声部）

福斯特 曲

6. G大调小步舞曲

（第一声部）

Allegretto

贝多芬 曲

5

1. 2. 10

cspressioo

15

p

rit.

1. 2.

TRLO

Fine *mf*

20

25

30

f

1. 2.

rit.

6.G大调小步舞曲

（第二声部）

贝多芬 曲

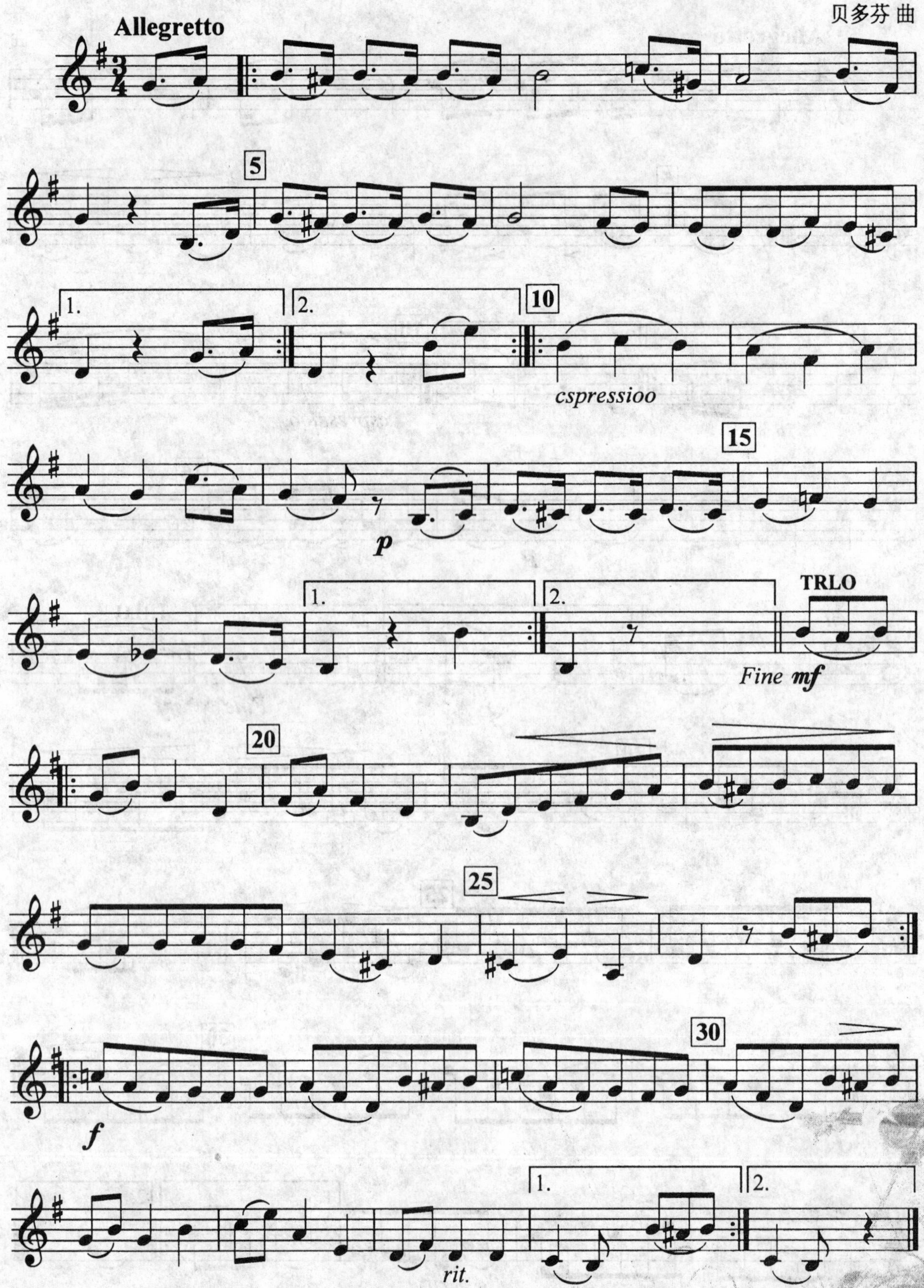

Allegretto

5

10

cspressioo

15

p

TRLO

Fine *mf*

20

25

30

f

rit.

7.小步舞曲

（第一声部）

巴　赫曲

7.小步舞曲

（第二声部）

巴　赫曲

8.布列舞曲

（第一声部）

Allegretto

亨德尔 曲

8.布列舞曲

（第二声部）

Allegretto

享德尔 曲

p espressivo

mf

p

10

p

mf

20

p

p

30

p *pp*

p *p*

40

p

p *pp* *rit.*

第二十二单元　有关知识解答

一、写给孩子家长的话

1.学习小提琴需要什么条件

每个教师都会经常听到家长提出这样的问题“您看我的孩子具备学琴的条件吗？”或“我的孩子有前途吗”对此，我这样回答：“这要看你的孩子学琴的目的是什么。”

孩子学习小提琴的目的无非是两种：一是将来从事职业演奏，走专业的路；另一种是培养孩子音乐素质，学琴只是业余爱好，将来不从事职业演奏。后者占学琴孩子中的大多数。由于学琴的目的不同，所要求的条件当然也就不同。“铃木教育法”中一条重要的教育思想就是“任何人都可以学小提琴”。为此，铃木先生甚至专门找一些脑智力有缺陷的儿童进行教育实践。经过努力，这些孩子们也达到了一定的演奏水平，当然这要比正常的孩子多付出很多辛苦。我在铃木小提琴研究生班学习时,班上有一位日本姑娘,她的左手食指、中指和无名指缺少第一关节，她就用左手拿弓子(不太影响持弓)用右手按琴弦，也就是和正常人相反。经过刻苦努力，她演奏的相当好，是班上的优秀学生，曾代表学校去美国演奏和讲学。当然，如果将来准备从事职业演奏，特别是面对激烈的竞争，那就要具备必要的条件了。这主要包括外在的条件与内在条件两个方面。外在条件中手是最重要的，以手指较长、手掌宽大匀称，指尖有肉垫、手指灵活、不过软过硬；小指不过短、不侧弯为好。内在条件主要包括：灵敏的音高分辨能力，正确地节奏分析能力，以及音乐记忆力等等。另外，音乐感也是非常重要的条件，音乐感是指对音乐一种本能的感知力和表达能力。常见有一些非常聪明的孩子，他的文化课特别是数学成绩很好，但音乐方面悟性较差，这样的孩子逻辑思维强，形象思维差。需要说明的是，除客观条件外，勤奋是更为重要的品质。俗话说：“勤能补拙”。任何方面的不足，通过自己不断的努力，都是可以得以弥补和提高的。

2.孩子几岁开始学琴好？

如前所述，如果不是以培养小提琴家为目地，任何年龄都可以学习小提琴。根据我自己的经验，以五岁左右开始学习为好。如果再早的话，如三岁的孩子理解能力和自我控制能力较差，学习起来进步较慢，容易引起家长和孩子“小提琴真难学”的畏难情绪，甚至可能因厌学而半途而废。在正式学琴前，可以早一点让孩子多听、多看音乐节目，特别是小提琴的作品，以培养孩子对小提琴的兴趣，为今后学琴做准备。

目前，社会上的业余音乐考级，通常把小提琴分为十个级别，按照考级的进度与要求，一般是一年学习一级。据此推算，从5岁开始学琴的话，将会是如下表所列进度：

规格	1/10	1/8	1/4	1/2	3/4	4/4
年龄	3－4岁	5–6岁	7–8岁	9–10岁	11－12岁	13岁以上
年级	幼儿园	学前班	一二年级	三四年级	五六年级	初中以上

从此表可以看出，如果按正常进度，孩子在初中二年级时，可以基本拉完十级曲目。避免了进入了初中三年级后，文化课学习紧张，没有更多时间练琴的压力。

3.找一位称职的老师

为孩子找一位称职的启蒙老师是非常重要的。称职的老师起码应具备这样一些素质：

(1) 本人受过正规系统地学习（不一定是从专业院校毕业，但一定要曾从师于专业老师）有一定的演奏能力，能为学生做示范演奏。

(2) 有一定的教学经历和经验，能够敏锐发现学习中出现的问题，善于用通俗易懂的儿童语言指出问题并提出改进的方法。

(3) 要热爱孩子，热爱教学工作。把教孩子学习小提琴当成自己的事业。为此，教师要有一颗爱心、童心和慈善之心，并把这些在教学中体现出来。要让孩子真切地感受到老师的爱，使孩子从老师那里不光学到演奏能力，还学到做人的道理，受到真、善、美的教育与熏陶。

(4) 要有责任心。有了强烈地对孩子认真负责的态度，教师就会认真备课，认真授课，不断钻研，不断提高自己的教学水平。反之，即使老师有很高的水平，教起课来也会漫不经心，敷衍了事，最终也教不出很好的学生。

4.怎样辅导孩子练琴

铃木先生曾说过“在孩子学琴过程中，最重要的人物可能就是母亲了”。这里所说的母亲可以泛指为包括带孩子学琴的父亲在内的所有家长。

一般来说，除高年级的孩子可以自己去上课，回家自己练琴外，大部分低年级的孩子都需要家长陪同。特别是初学儿童，理解能力差，这就需要家长自己要首先理解老师教的课程。如果家长能够与孩子一起学习，自己先拉会，这样辅导起来，郊果会更好。

在家里为孩子创造一个良好的学习环境。孩子练琴时，尽量让他们保持愉快的心情。为此，家长对孩子既要严格要求，督促孩子练琴，又不要简单粗暴，更不能打骂孩子，使他们产生惧怕和逆反心理。对孩子的微小进步都要给予鼓励。让他们在自信中体会到学习音乐的乐趣。

为孩子学琴做好必要的物资准备。这主要是购买有关的乐谱和音像资料。目前市场上的各种乐谱和音像资料比较多，可以在老师的建议下选购。但总的原则是尽量多一些，全一些。特别是音像资料，只有让孩子多听、多看优秀的演奏，才能开阔他们的视野、丰富他们的头脑，从而找出自己的不足和努力方向。此外，还应该带孩子们看各种音乐会和文艺演出，去艺术馆参观画展和摄影展，去博物馆看各种展览，这些对他们学习音乐都有潜移默化的好的影响。

二、怎样选购儿童小提琴

小提琴的选择主要涉及两个方面，一是规格的选择，即琴的大小。二是琴的质量，这主要包括琴的材料与制造工艺和琴的音质。儿童小提琴因为琴身（共鸣箱）较小，音质一般不是很好，以不宜出毛病来考虑即可。

1.规格的选择

目前市场上的小提琴品种很多，规格从小至大主要有以下几种1/10，1/8，1/4，1/2，3/4，4/4。现根据儿童年龄及使用规格绘制下面表格：

年龄(岁)	5	6	7	8	9	10	11	12	13	14
级别	一	二	三	四	五	六	七	九	五	十
年级	幼儿园	学前班	一年级	二年级	三年级	四年级	五年级	六年级	初一	初二

以上图表只是根据一般情况而定，究竟选用哪种规格的琴合适，要从使用者的实际出发。例如：身体的高矮，胳膊的长短、手的大小，手指的长短等等，要因人而异。在此，再介绍一种检查琴的大小的方法：让儿童夹好琴。左臂伸直，左手掌如能达到琴头，手掌能把琴头握住，这样琴的大小稍稍偏大些。但考虑到儿童发育生长的因素，也可以说基本合适，但绝不能再大了。如果手腕碰到琴头，说明琴略小，可以考虑换大一号的琴。总之，琴的大小一定要合适，这对演奏影响很大。一些家长为图省事、省钱，常让孩子拉较大的琴，使学生左手姿势僵硬、紧张，手指够不到音位，音准很差。右手持弓因弓子长而运弓不直、不灵活，这些问题会使儿童产生“小提琴很难学”的错误心理而厌学。同时对儿童的生理发育也有不利影响。对此，家长一定要有清醒认识。我在教学中总是掌握这样的原则：宁小勿大。

2.质量的选择

儿童小提琴做为过渡性的学习用琴，一般都采用普及用料及制作，选择时多从结实耐用角度考虑即可。主要包括这样几点：粘结牢固无开胶之处；琴轴结实，转动灵活；弦枕、指板、琴马的高度合适，拉弦板及尾绳结实。挑选弓子要注意：弓杆绷紧后是否顺直，（有无左右弯曲现象），弓子的弧度是否准确，重量是否适中，马尾是否平整有无脱落等。

音色方面可以考虑：发音要灵敏，音量大，四根弦声音均匀，高音明亮纯净，低音浑厚丰满。一般讲新琴刚开始用时，声音会干涩发硬，使用一段时间后，音质会有所改善。

三、怎样练琴及每日练习的时间安排

1.练琴要遵循几条基本原则

(1) 要善于思考。首先要考虑的“我今天练琴要完成哪些任务”？“有哪些问题是需要解决的”？“最近一次上课老师讲了什么要求”等等。在开始练琴之前用几分钟思考一下，比毫无目的地练习几小时的价值还要大。因为后者只是在不断地重复着错误，这只会使问题更加牢固。

(2) 目标明确，突出重点。找出一首曲子中的困难段落、重点加以解决，而不要一遍遍地从头反复。有人以“每首曲子拉几遍或拉多少分钟”来计划，这是不好的方法。

(3) 放慢速度。有人说“一慢治百病”是有一定道理的。慢才能来得及思考，慢才能发现问题，慢能使困难的东西变的容易起来。

(4) 多做分解动作的练习。把多种技术混合的曲子分解开来，逐个解决。比如快速的连弓，可以用慢速的分弓先练好后再用连弓。换弦的练习可以先去掉左手音符，先用空弦练习，找好换弦的方法、要领。再加入左手。

2.每日练习时间安排

儿童年龄小，每次练琴时间不要太长，要根据不同年龄儿童制定出不同的练琴时间和计划。每天的练习内容大致可分为三类：一是基本练习，包括空弦、音阶、手指练习。二是练习曲。三是乐曲。每天练习也要按以上的顺序，因为基本练习主要目地是活动手指，练习发音，练习音准。这就象运动之前的热身准备。每天练琴开始时，身体各部分精力充沛，注意力集中，也适宜进行相对枯燥的基本练习。用各种弓法来练习音阶是一种节约时间、提高效率的好方法，但这要求演奏者大脑思考问题要全面。

下边以每天练习一小时为例列出计划：

1. 基本练习——10分钟

2. 练习曲——20分钟（休息5分钟）

3. 乐　曲——30分钟

以上只是粗略的框架，每人要根据自己的实际情况灵活掌握。

四、小提琴的维护与保养

1.琴的方面

小提琴不要放在高温处，更不要让阳光照射，也不要放在潮湿处，更不能沾水。每天练完琴后，要用软布把琴上的松香擦干净，因为落在面板和琴弦上的松香影响震动和发音。如果琴板积存了污垢，可以用沾了松节油的软布来擦。另外，用牙膏也可以把琴擦干净。如果琴身里面灰尘太多，可以用炒焦的米粒从F孔倒入，摇晃几下后倒出，就可以把灰尘带出来了。

小提琴使用后要放入琴盒内，琴盒的金属扣要扣好，琴盒不能受压。如果较长时间不使用应把琴弦放松一些，琴盒内可以放一点樟脑球，以防止虫蛀。

2.弓子方面

琴弓使用时，马尾的松紧要适度，这可从弓杆的弧度看出，过松没有弹性，过紧又会使弓杆晃动难以控制，同时也容易把马尾抻出。琴弓使用后，要把马尾放松，长期不放松会使弓杆变形，马尾被拉出。在练习时如出现不慎弄断马尾的现象，对此不必过分担心，可用剪刀把断的马尾齐根剪掉，千万不可用手往外抻，至使马尾脱落。

每天练琴前要在马尾上均匀地擦几下松香，这是为了琴弦的震动，但松香不要擦的太多。致使演奏时粉末飞扬，琴声会很粗糙，也有碍儿童的健康。练完琴后弓杆也要同时擦干净。不要用手摸马尾，以免把马尾弄脏，使马尾在弦上打滑，影响发音。弓子使用太久也会出现弓子打滑，马尾减少的现象。这样的情况就该考虑换新的马尾了。

3.其他方面

弦枕：弦枕要注意不可过高和过低，过高按弦会感到困难，过低则可能琴弦震动时碰到指板而出杂音。弦间距离要相等。

琴马：琴马的高度要适中，过高会使手指按弦困难，过低则会因琴弦张力不够而发音暗淡。琴弦在马子上的距离也要均等。每根弦的距离成人琴约1厘米左右。使用者可依自己的手指粗细做些调整。儿童则要按比例缩短。经常调弦会使琴马逐渐向指板方向倾斜，长时间会使琴马弯曲。所以要随时检查，保持琴马在面板上的垂直壮态。至于琴马的薄厚，可根据琴的音量大小来调整。一般音量大的琴，琴马可以厚一点，音量小的可以薄一点。

弦轴：弦轴会受气候的影响发生滑轴或拧不动的现象。此时可将弦轴拔出，如果弦轴太松可以涂上一点粉笔末。如果太紧，可以涂上一点牙膏试试。为方便调弦，可在系弦板上安装微调镙丝。

除以上问题之外，练琴过程还会出现尾绳断裂，音柱倒了等情况，因这涉及专业知识，最好请教师和有经验的人来帮忙解决。